大本神諭　第二巻

目次

題字は三代教主出口直日先生筆

大正五年旧二月三日

大国常立尊変生男子の霊魂が現われて、三千世界の守護に掛かるぞよ。是までは、斯の世にモウ無い神と為られて居りて、微躯とも致さずに蔭から守護いたしたぞよ。天地の大神は蔭から仏事と化りて、三千世界の守護をして居りたなれど、ぶつじの世の年の空きとなりたぞよ。

世界中が物質からの学で、茲までに開けた世の年の明きとなりたから、今が神徳と物質の終りの、替わり目の大峠となりて来たから、茲へなりた折に、明治二十五年から知らして在る事と、言葉で知らして在る事を、世界中の守護神、人民に、日々昼夜に知らして在りた事を、能く耳へ入れておいて、腹の中の掃除を致して、霊魂を研けるように、茲まで骨を折りたなれど、聞いて居る事を誰も用いて居る守護神、人民が無いので、大峠と成りて来たら、逆立ちに成りて困しむものが出来るから、茲になるまでに、地の先祖が気を付けたのであるぞよ。

何程物事の解りた人民でも、此の世でエライ人じゃと言われる人でも、ドンナ誠の強い人民でも、今度の立替えの御用に使わな成らん人民には、トコトンまで神は気を引くぞよ。

今の人民からは山子と言われ、ホウケて居ると言われ、悪魔と言われ、世界の大馬鹿者と申されて、悔しい残念を堪り堪りて、微躯とも致さぬ人民でないと、今度の御用には使わんから、神界の御用に立つ身魂は、何でなりとも苦労があるぞよ。我身や家が気に成る様な事では、今度の御用には間に合わんから、神は間に合う身魂と思うたら、一旦は谷底へ落としてから、誠の御用に使うぞよ。

気の小さいものは、矢張り 艮 の金神は此の世の悪神で在りたと申して、恐がりて逃げて去ぬものも出来るぞよ。力一杯反対しようと致して、縮尻るものも出来るぞよ。今度の御用は、ひととおりの身魂では能う勤めんと申して、毎度筆先で知らして在るぞよ。勤め上がりたら万古末代名の残る事であるぞよ。皆その覚悟で居らんと、途中でヘコタレるぞよと申して、今までの筆先にクドウ知らして在るぞよ。

それで確固と腹帯を〆めて、胴を据えて居りて下されと申してあるぞよ。人間界では何程立派な誠の人民でも、昔からの霊魂の罪咎が在るから、今度の御用は苦労の固まりで、昔からの霊魂の帳消しを致して、水晶の元の霊魂にいたして、御役に立てるのであるから、誰も慢心の無いものはないから、九分九厘まで取り違いを致して、結構な御用を取り外すから、夫れで筆先を十分腹の中へ〆め込みて居りて下されと申すのであるぞよ。

今度の世の立替えに間に合う身魂ほど、苦労が授けてあるぞよ。苦労無しには何事も成就いたさんぞよ。

この大望な御用を致さす因縁の身魂が、何事もスット思うように行ったら、途中から邪魔が這入りて物事成就いたさんから、此の大本は月の形の御簾の内、日に日に変わる経綸が致してあるぞよ。

大本の経綸は引っ掛け戻しであるから、余りトントン拍子に行きよると、又後へ戻すから、其の覚悟で居らんと辛うて堪れんから、茲を貫く身魂でないと、三千年余りての経綸の御用には使わんぞよ。

此の大本は、多勢は要らんと申して在るぞよ。いろは四十八文字で世を開くのであるから、三人に成りても、誠の者でさえ在りたら成就いたすから、訳の判らん身魂は、サア今と成りたら取り祓いに致そうも知れんから、夫れでは可愛相で神が見て居れんから、何時までもクドウ厭がられもって、筆先で気を付けるから、神にも出口直にも落度はモウ在ろまいぞよ。

この大本の中から、皆揃うて改心を致して、善一筋の道へ乗り替えて、彼れでならこそ世界の大元じゃと、人民から申すように行状、やり方を替えて、永らく落ちて御出なされたミロク様を、一日も早く世に御上がりに成りて戴いて、天地が揃うて、世界の守護が無ければ、世はジリジリと滅亡なりて了うのも、外の守護神には解りは致そまいがな。是迄通りで、モ一つ悪を強く為て行りて行こうとの、世界中の守護神の精神で在ろうがな。

悪の霊では、一寸の場の御地の上には、モウ置かん時節が参りたから、天地の先祖が、何彼の実地の準備を立てに廻りて、遠所も近所も、外の霊魂では出来ん経綸が立ててあるぞよ。

今度の経綸は、何処からも指一本指す事の出来んように、水も漏らさんように仕組みてあるなれど、大本の中へ参りて、邪魔を致す守護神は沢山有るから、気赦しはチットも出来んぞよ。

抜刀の中に居る様の精神でないと、油断が在りたら、悪の霊が此の中の立ち寄る人民に憑りて、潰そうと掛かるぞよ。

今度の経綸は、モウ微躯とも致さぬように、昔から仕組みてあるから、別条は無いなれど、邪魔が這入りた丈は、立替えが遅れるから、世界の人民が永らく苦しむのが可愛想なから、此の内部から十分に気を付けて、霊魂を日本魂に立ち還らして居りて下されよ。何事も中から破裂いたすので在るから、大本の邪魔をいたすものも、力一杯神の為と思うて致すのであるから、一番に改心を致して、道路歩行もってでも、大本の筆先を考え詰めて居らんと、不調法が出来るから、善の御用を致そうと悪に覆ろうと、心一つの持ちようであるぞよ。

心ほど斯の世に恐いものは無いぞよ。

出口直は、艮の金神の霊で維持て居る肉体であるから、此の方の霊が出ると、直が肉体がグニャグニャに成りて、弱るのを見ても、神の入れものと申す事が判るぞよ。

是からは、今迄のような心で居ると、此の大本の中の御用はささんぞよ。此の中が大変厳格なるぞよ。

早うから気が注けて在るが、筆先どおりに何ごとも、世界の大掃除を始めるから、国々、所々、家々、人々にめぐりの在るだけのことをいたすから、そうなる迄に改心いたして、身魂を研いて居るように、諸国の神、守護神、人民に知らしたことを悪う取りて、耳に入れるものが無いとは、能うも曇りたものであるぞよ。

此の実地の天地の先祖の申すことを、誠に聞いて、其の行いに替えて居る身魂で在りたなら、此の世の変わり目に、初発の善き御用を為せて、末代美い名を残すように、神から神徳を渡すぞよ。

神の申すことを疑わずに、誠にいたす守護神に使われて居る肉体は、其の日から善の神の守護が在るから、思うように行きだすぞよ。

斯んな結構な教えは外には無いなれど、此の内の直接の御用いたす身魂が、悪に見せて化かして在るから、誰も誠に今にいたすものが無いなれど、何彼の時節が参りて来たから、実地の生神が世界へ実地をして見せるから、実地が出来て来るまで、近くほど判らんぞよ。可愛想なものじゃ。

我の心が悪いと、人が善きことといたして居りても、反対に悪く見えるぞよ。悪い心を持ちて居ると、悪い守護神が覇張りて悪いこと斗りを為せるから、一つも思わくは立たんぞよ。

今の世の中は、悪魔が九分在るから、天地の実地の生神の力でも、中々に骨が折れるぞよ。人民は、神なら直に悪魔ぐらいは退治が出来そうなものじゃと申すなれど、世界中に、真実という事がチットも無いように成りて、泥海同様で、生神の片足踏み込む所も、手を差し出す所も無いように成りて了うて居るから、神も中々苦労を致すぞよ。

この世を是までに利己主義で、他人は如何でも我さえ良けら能い行り方で来た、此の世界の大掃除を、今の上の守護神人民に為せたとこで、誠の掃除は出来は致さんから、実地の活神が世界の大掃除をはじめると申して、日々知らして居るなれど、近所ほど何も分からん、気の毒なもので在るが、遠国から開けて来て、遠国の明りで、足元が依然して居れんように成るという事が、明治二十五年から筆先で知らしてあるぞよ。遠国から明りが刺して、脚下がそろそろと判りかけると申して在るぞよ。

綾部の大本の教えは、実地ばかりの誠の道であるから、開くにも骨が折れるし、分明るのも手間が要るなれど、モウ世界から筆先の実地が出て来るから、此の先に、疑うような守護神が大本へ出て来たら、其の場で正体を現わして、ざまを晒さすぞよ。

近い所ほど後廻しに成るのは、我の心の持ち様が違うからであるぞよ。

大正六年旧五月六日

大国常立尊　変生男子の霊魂も、変生女子の霊魂も、永らく苦労いたして居りた一輪の身魂も、世に落とされて居りた霊魂の肉体は、至仁至愛神様の御出現が在る時節が参りて来たから、悔し残念を堪りて来た身魂は、皆揃うて世に出て、世の元の初まりの結構な御用が出来るから、良き御用の出来る身魂を見て、我の精神と行状とを考えて見て、神の心に叶うように成りて居らんと、綾部の大本の、世界の元の御用は出来んぞよ。

外の教会のように思うて、此の大本の御用いたそうと思うて居りたら、大間違いが出来るぞよ。

末代に一度ほか為られん、二度目の世の立替えをいたす所へ、是迄の体主霊従主義で、自分本意で早う出世が為たい様な、気の小さい守護神に使われて居る肉体でありたら、今度の間には合わんから、肉体から胴を据えて、守護神に言い聞かせるぐらい確りして居らんと、肝腎の御用の間には合わんぞよ。

是まで世に出て居れた守護神が、善の道へ立ち帰りて、末代の御用を致そうと思うたら、是までの行り方を一寸も用いんように心得て、一から何事も行り変えて下されよ。

此の大本の中へ来て、直から上の御用がいたしたい様な霊魂の守護神に使われて居ると、大きな間違いが出来て、善い御用は為せて貰えず、悄然として居るのを見るのが厭で在るから、世に出て居れた守護神が、大本へ化けて来ても、一目に判るから、真心に成りて産になりて、霊魂に出来る御用をさせて貰えば、其の日から嬉し嬉しで暮れるなれど、上へ上がりて、直ぐから好い御用を致そうと思うと、不調法が出来るから、自己の霊魂に似合うた御用をいたせば、安全に勤まるから、此の先で仕損いをいたしたら、末代悪い名が残るから、是迄の行り方を変えるのには、心が水晶に成らんと、大本の初発の御用は出来んぞよ。

是までの心を入れ替えて、腹の中に動かん誠が無いと、大本の御用は余程肉体がしっかりして居らんと、立直しが中々の大望であるぞよ。

此の世の元の天の御先祖様を、斯んな事に、永い間御艱難をさせて置いて、亦地の先祖は力が在り過ぎて、手に合わんと申して艮へ押し籠めて、天の光も地の光もない様にいたして了うて、物質の世に成りて、日本の霊の元の光というものが無いように、金銀為本国に為て了うて、日本の国に使われん学で、末代行りて行こうとの、エライ経綸をいたして、茲までは思うように来たなれど、九分九厘の悪の世の終いとなりて来たから、何時手の掌が覆るか分からんから、斯んな事なら、モット気を付けて呉れそうなもので在りたと申して、地団太を踏んでジリジリ悶え致しても、ソコになりてからは後の祭りで、取り戻しは出来んぞよ。

天地の御先祖様が、天晴表になりての御守護があるから、男も女も心間違いの無いようにして貰わんと、是からは厳しくなるぞよ。

我の心の持ち方一つで、如何な神徳でも今度は神から授すから、水晶の世に成るので在るから、我の身魂を十分に磨いて置いたら、世の元の天地の先祖が、何彼の守護をいたすから、思うように何事も行くぞよ。

敵対心が一寸でも在りたら、何も思う様に行かんから、昔から此の世に無い事をいたすので在るから、因縁の在る変生男子の身魂には、辛い御用がさして在るぞよ。

明治二十五年から筆先に出してある事は、世界中の事で在るから、彼方此方に致さんと、斯んな事が一度に在りたら、何う仕様も成らん様に成るから、彼方や此方に、めぐりの烈い処には、夫れ丈のめぐりの借銭であるから、可成くは大難を小難に致して、借銭済しを仕て了わんと、身魂がめぐりを負うて居ると、何一つ思う様に行かんぞよ。

今の人民は自己にめぐりのある事を、チットも知らずに居るから、天地の先祖は、この肉体に守護して居る霊魂には、此ういうめぐりを負うて居るという事を、明白に知りて居るから、何程かくしても、何れほど甘い弁解を致しても、神の目は昧ます事は出来んぞよ。

斯の世は末代続かせねば成らんから、何事も筆先に出して知らして有るから、此の先は何事も一度に成りて来て、守護神人民の思うて居る事が、大間違いが出来て、逆様斗りで、世に出て居る守護神が、キリキリ舞いを致さな成らん様になるから、茲へ成りて来た折に、如何したら宜いか訳が分からん様に成りて、実地の事はつかまえられず、自己が宜いと思うて為る事は、誠実地の神の眼から見て居ると、井戸の縁に茶碗を置いて在るのを見るように有るから、筆先で是ほど細々と気を付けて、言い聞かせたなれど、言い聞かした位で聞く守護神が、日本の国に無いように成りて居るから、此の先は聞かな聞くように致すから、是迄の様な心で、神の御用したと思うて為る事が、大きな邪魔に成るぞよ。

邪魔を致しておいて、大神が邪魔を為ると申して、悪の行り方の向うの国の頭に湧いた守護神が、何程気張りて善い御用を為て居ると思うて居りても、逆様斗りを為ておいて、実地の大神を怨める様な心の守護神が、何を致しても……　……

日本の経綸の解る守護神が無いから、実地の大神が、今に実現が出来んので在るぞよ。

直々の取次は咽喉から血を吐く如く、今に安心がチットも成らん、誤解を、世に出て居れる方の守護神が、エラソウに自分ほどのものは無き様に思うて、慢神を致して、日本の御用を一角エラソウに思うて致す事が、逆様ばかりを致すから、今迄の筆先にも、世に出て居れる方に、大本の実地の御用の出来る守護神が無いと申して、今に筆先を出さされな成らんから、実地の日本の、天地の御用いたす取次は辛いぞよ。

実地の御用が出来る身魂が、一人出来て来たら、悪い霊を引き抜きて、日本の霊の元の生粋の日本魂と入れ替えてやりて、天と地との先祖が守護を致すと、思うように筥指した様に、コトリコトリと行くように致すぞよ。

慢心と取り違いが在りたら、此の後は守護神の性来を表わして、其の霊は利かんように成るのを、明治二十五年から今に成るまで、守護神人民に気を付けて在るのが、何も時節が一度に出て来るから、茲へ成りた折に、心を復て、日本の元の御用の出来る身魂に成りて居る様に、クドウ知らして居るなれど、思うて居る事が全部間違うて居るから、守護神に解らんから、仕損いが出来るので在るぞよ。是まで守護神が自己の勝手に、思うように出来たのは、悪の世と成りて居りたから、自分に悪力が有りて、悪の霊が利くほど上へ上がれたなれど、モウ手の掌が覆りて居るから、是迄のように思うて居ると、大きな失敗が出来るから、是程気が付けて在るのに、失敗を為ておいて、未だ大神の所業の様に思うて、取り違いを為て居る事が、未だ自分に解らんのは、元の性来が悪であるから、日本の元の御用は、悪の性来では出来んので在るぞよ。

元は日本の魂でも、がいこく魂に成り切りて居るから、速やかに解らんのであるぞよ。

日本の性来の大和魂に立ち帰りて来んと、一寸でも混ぜりがありたなら、世の元の大神様の御用は出来んから、何時まで不調法の無いように、気を注けておりても、矢張り思いが違うから、違うた事が出来るので在るぞよ。

日々に我の腹の中を能く考えて、自己の審神者を致さんと、大本の御用は、向うの霊が一寸でも混じりて居りたら、間違うた事が出来るぞよ。各自の霊魂の性来の事ほか、出来は致さんぞよ。

末代曇りの懸からん、生粋の水晶の世に致す、二度目の世の立替えであるから、何に付けても大望ばかりで在るから、世に出て居れた海外の国の眷属が、何も分からずに、修行も致さずに、日本の経綸の解らん方の守護神が、直ぐから世の本の日本の経綸は解りはせんから、誠の心に成りて身魂を研いて居りたなれば、何国へ廻されても、向うの国へ還されても、成可く優な方へ廻してやるから、修行した丈の事は、身魂に徳が就くから、何に依らず素直に致して、辛い修行を致して置けば、夫れ丈の御用が出来るぞよ。

身魂が曇りて居るのに、日本の世の本の初まりの御用は出来んなれど、三段に身魂を分けて、夫れ夫れに目鼻を付けて、改心が出来た産の身魂から、それぞれの事を為せねば成らんから、何が大望と申しても、身魂の立替え立分けが、一番困難な、骨の折れる事であるぞよ。

大望な世の立替えの中で、立直しが在ると云う事も、筆先で先に知らして在るが、立直しの御用が逸く成りて、大変忙しく成るから、是までの様な事はして居れんぞよ。

天地の物事が変わるから、是迄の心と行り方を代えんと、大本の中には辛うて居れんように成るぞよ。身魂が研けんと、此の後は辛うて、辛抱を能うせん肉体が出来るぞよ。

是迄の世は暗黒の世でありたのが、日の出の守護と成りて来るから、善と悪との立て分けの、辛い大峠と成る時節が参りて来たので、世に出て居れた方の守護神は、大変何彼の事が辛くなると申して、知らしてあるぞよ。

上の方は大変辛う成るし、人民は穏かになると申して在るが、何も彼も時節が迫りて来るから、出る筆先を先繰り見て置かんと、俄かにトチ面目を振る事が出来いたすぞよ。

変生男子の霊魂が、ビクリとも致さずに、茲まで気は張り弓で来て呉れた御蔭で、色々と申して訳は言わずと、ここまで堪りて来たのであるから、此の大望な事を前に申して、人民に斯ういう御用を為てくれいと申したとて、一人も仕てくれるものも無いなれど、出口直は因縁のある身魂で在るから、厭とも申さずに、辛い御用勤めて下さりた故に、此所へ成りて来たのであるぞよ。

変生男子と変生女子との身魂に、外の身魂では出来ん事が為せて在るなれど、人民は実地の事をして見せて、筆先とキチリキチリと合うて来んと、未だ今に十ぶんの事が判らんなれど、何彼の経綸が解る時節が参りて来て、身魂が揃うて来たから、是からは仕組も判りて、御用いたすのが安全に出来だすぞよ。

斯んな大望な事を、何も知らん今の人民にいたして呉れと頼みたら、一人も相手に成りてくれる人民は在りはせんぞよ。

至仁至愛神様と地の先祖は、世の根本の事から末代先の事が、見え透いて在りての深い経綸で、世に出て居れる神にも、判らんような尊い仕組であるぞよ。

茲までは、立替えの筆先を書かして知らしたなれど、立替えの中で、立直しをいたさねば成らんと云う事が、筆先で知らして在るが、立替え済して置いて、後の立直しを緩々する様な事を為て居りたら、是だけ何も分からん暗黒の世の中の人民で在るから、何程智慧が在りても、学力が在りても、智慧や学力で考えては解らん、今度の二度目の世の立替えの仕組で在るから、今迄の世の悪の行り方為て居れた守護神には、解らん仕組で在るぞよ。

一層学力の勝貫けた霊魂に使われて居る肉体でありたら、筆先が能く解るなれど、中途の学では解らんから、綾部の大本の元の役員は、普通では出来んから、大勢は要らんぞよ。

人の心とは余程かわりた、産の心に成りておらんと、斯んな大望な、ミロクの世に世を捻じ直す、世界の大本になる尊い所が、現今では、外に無い粗末な事にいたして在るから、見当が取れんなれど、経綸がいたしてある事の時節が参りて来るから、心の入れ替えをいたして、身魂を磨いておりて下さりたら、天地の元の大神が致すので在るから、量見の違う守護神ばかりで、思うて居る事が大間違いに成るぞと、彼程に日々に筆先で気が付けて在るから、眼の付け処が違わんように為て下されよ。

今度の立替えは、是迄に無い事であるから、筆先を見て神徳を取らんと、綾部の大本の誠の経綸は判らんぞよ。

天地の御先祖の直々の御用いたす霊の、元の日本魂は、肝腎の艮の御用であるから、何の守護神にでも、出来るような御用で無いぞよ。

是までの世の守護神は、悪の世でありたから、悪智慧斗りで、悪い事ばかりを致して、人が困りて難渋を致して居りても、元が悪の性来であるから、人を困らしても、自己さえ好けら好いで、悪い事を為る程上へ上がりて出世が出来て、世界中が悪うなる事ばかりを、がいこくの性来に移りて、日本の守護神と九分九厘の身魂が悪い事ばかりを企みて、今の日本の体裁、全部真暗黒界であるから、何んな事を為て居りても、頭が自由に為られて居るから、悪魔に成りて居る眷属とが、一つの心に凝固て悪い事の為方第、艮の金神の誠の善一つの経綸が判りかけると、悪の霊魂が善の肉体を道具に使うて、未だ未だ此の大本を悪く申して、出口を引き裂きに来ると申して、筆先に毎度知らして在るが、何事ありても大丈夫であるから、誠を貫きて、一つ心に成りて居りたら、何処から此の大本へ詰めかけて参りても、歯節は立たんぞよ。

我程の者は無きように思うて慢心をいたすと、悪の守護神に悩められて、悪が善に見えたり、此の結構な大本の誠の教えが、逆様に悪の行り方に見えて、大きな間違いが出来るぞよ。

是ほど難渋な事になりて居るのに、まだ悪の方の仕組は深い目的があるが、其の目的は、霊が利かんようの時節が参りて居るから、何程これ迄に覇が利いた守護神でも、世が代わりて善の世となるから、悪の守護神は往生いたすより、モウ仕様が無いぞよ。

モウ悪では、一足も前へ行く事も、後へ戻る事も出来んように、悪の世の輪止まりとなるから、何を企みていたして見ても、皆外れる斗りで、余り思うように行かんから、気抜けがして、昼狐を放り出したようになるぞよ。

是まで悪を働いた守護神は、一旦は天地へ揃うて御詫びをいたさんと赦すという事が出来んから、縛られた如くで、我肉体が我の自由にならんようになるから、我は利巧なものじゃと思うばかりか、他人が阿房に見えたのが耻ずかしゅうなりて、ジリジリ悶えて困しむからと申して、筆先で知らして置いたが、何彼の事が近うなるぞよと申して知らしてある事は、皆でて来るから、産の心に立ち復りて神心になると、何事がでて参りても安全に暮せるぞよ。

明治三十六年旧七月十三日

露国からはじまりて、大戦争が在ると申して在るが、彼方には深い大きな計画をいたして居るなれど、上からは一寸も見えん、艮の金神の日本には経綸がいたして在るぞよ。

日本は神国で、結構な国じゃと云う事は判りて居れど、何を申しても国が小さいので、一呑に為ておるから、日本の人民の今の精神では、戦争がはじまりたら、日本魂が少とも無いから、狼狽て了うぞよ。

是から段々と世が迫りて来て、世界中の大戦争となりて、トコトンまで行くと、向うの国が一つになりて、皆攻めてきた折には、兎ても叶わんという人民が、神から見ると九分まであるが、日本はモウ叶わんと申す処で、日本魂の生神の本の性来を出して見せて遣ると、日本魂は胸に詰まりて呑めぬから、がいこくの守護神が、元の霊魂の力はエライものじゃ、誠ほど恐いものは無いと申して往生する処まで、日本の人民は堪忍な、今度、がいこくが強いと見たら、皆、がいこくへ属いて了うから、ソコで此の綾部の大本に仕組みてある事を、日本の人民が能く腹へ入れて、御用を致さす身魂が二三分出来たら、其所で昔からの経綸の神が現われて、七王も八王もある国を、誠一つの日本の神力で往生致さして、世界中の安心が出来るように致して、昔の元の神代に復すぞよ。

がいこくの侵略主義は、モウ世が終結ぞよ。

何程日本の人民に、智慧学力が在りても、兵隊が何程沢山ありても、今度は人民同士の戦争でありたら、到底叶わんなれど、三千年余りての経綸の時節が来たので在るから、世界中から攻めて来ても、日本には敵わん仕組が為てあるなれど、艮の金神、竜宮の乙姫どの、霊の発揮神が表われんと、其処までの神力は見せんから、此の大本には、揃うて神力を積みておかんと、如何為様にも激烈うて、傍へは寄り付かれん様な事が出来てくるから、身魂を能く磨いておけと申すのであるぞよ。

身慾信神して居る人民、そこに成りてから助けて呉れと申しても、其様人民は醜しいから、傍へは寄せ付けんぞよ。

能く神の心を汲み取らんと、綾部の大本は、天地の誠一つの先祖の、神の経綸の尊い場所で在るから、迂濶に出て来ても、チト異う所であるから、其場に成らんと眼が覚めんから、眼醒ましの在るまでに、腸の中の埃を出して置かんと、地部下に成るから、クドウ云うて気を付けておくぞよ。

明治三十六年旧十一月九日

艮の金神変生男子の身魂が現われて、神政成就の教えを致すから、此の世の一切の事を、何も彼も根本から悪いことは、皆代えさすぞよ。頭から足の道具まで皆変えて了うて、心易き生活、よき世の持ち方に致すぞよ。何も彼も、がいこくの真似斗りを一生懸命に見習うて、喜びて居るもの斗りで在るから、日本の神国が、全部けがれて了うて、ちくしょう原と成り果てて、神の居る場所も無い様に為られて、此の度の世の立替えに就いて、思いの外、大変な骨の折れる事であるぞよ。

神政成就の世の教えに致すには、婦女子の頭の道具から清らかにして、変えて了うぞよ。

衣類は平人には絹布は着せんなり、履物も婦人で在れば木綿の花緒なり、男子であれば竹の皮の捻花緒でよし、旅行する時にはゴザ笠で出れば、雑用も要らず便利も好し、婚礼をするにも祝事を致すにも、一菜一汁の規定になる也、初幟祭、初雛祭いたすにも、何事を致すのにも、余分の馳走を為る事は成らんなり、土産物も、身分不相応の事は禁止て了うて、神政成就の世に立替える世界の大本であるから、此の大本から其の行り方に変えて下さらんと、何時までも神界の誠が判りて来んぞよ。

結構な田地に木苗を植えたり、色々の花の苗を造りたり、大切な土地を要らぬ事に使うたり致して、人民の肝腎の生命の親の米、麦、豆、粟を何とも思わず、米や豆や麦は、何程でも外国から買えると申して居るが、何時までもそうは行かん事が在るから、猫の居る場にも、五穀を植え付けねばならんようになりて来るぞよ。

皆、がいこくの物質の教えで在るから、日本の国には、日本の世の行り方に致さして、モウぼつぼつと木苗も掘りおこさせるぞよ。

今の行り方では、何時までも続かんぞよ。

世に上がりて居る人民には、此の教えは今では這入りにくいなれど、何彼の時節が来るから、仕様なしに神の申す行り方に致さな、此の世が渡れんように成りて来るぞよ。

日本に合うた行り方を致さんと、世は治まらんぞよ。

がいこくの真似を致して、石や瓦で家を建てて、沢山の金を要れて、開けた人民の生活法と申して、鼻高に成りて居るから、余り高い鼻が眼の邪魔に成りて、上も見えず、下は猶見えず、鼻が空振って、脚下がブラブラに成りて、正勝の時に神国の間に合う人民は、今では一人も無いから、此の大本から日本魂の人民を拵えて、今度の二度目の天の岩戸開きの御用に使うて、三千世界を助ける経綸であるぞよ。

がいこくの利己主義の教えを結構じゃと申す様な、醜しきちくしょうの精神に化り切りて居る身魂には、此の教えは、チット御気には入らんぞよ。

大正六年旧四月二十六日

大国常立尊が表面になりて、守護致す世が近よりたぞよ。

是迄の世は、暗夜の守護でありたから、何彼の事が分からなんだなれど、時節参りて日の出の守護となるに因って、早く物事判明て来て、悪の頭が今迄に覇張りて居りて、永い間の悪の経綸が、一つ外れ二つ外れ、此の頃では心の中で、大変に心痛を致して居るなれど、口へ出して言う事も出来ず、ジリジリ悶えを致して居るなれど、誰も中へ這入りて、改心させるものも無し、独り困しみて居るぞよ。独国の頭が、大きな取り違いを致して居るから、九分九厘となりても、何うする事も出来んようになる事が、見え透いて居るから、茲へなりて来た折に気が付いて居らんと、世界中へ現われるから、悪の守護神の頭の名を出さずに、速く改心の出来るように、汲み取るように、気が付けてあるなれど、今に未だ分からずに、思わくを立てよと頑張りて居ると、微躯ともならん時節が参りて来たから、何時までも悪の霊は利きは致さんから、其の覚悟を致されよ。

時節には叶わんから、素直に改心をいたせば、末代の徳と成るなり、今になりても頑張りて居ると、世界中へ恥ずかしき事が、遠からん中に出て来るから、今の内に改心を心の底からいたして、天地へ御詫びをすれば、神は元から助けたいが一杯であるから、成る様に為てやるぞよ。

此の先で、天地の先祖の神から申す事を叛いて、未だ行ろうと思うても、モウ世が終たから、茲までは如何事も蔭の守護で在りたから、神は見ても見ん振りを為て居りたなれど、時節参りて、煎豆に花咲く如く、日の出の守護となりてきたから、何事も皆見え透いてきて、善悪を明白に立て別けるから、是まで世に出て居れた方の守護神が悪を働きて、何一色間に合うたと云う事が、一つも無かりたから、神が蔭から守護いたして、茲まで潰れんようにいたして来るのには、余程に骨が折れたぞよ。

艮の金神は、今迄は蔭の守護で在りたから、九百九十九人との対抗であるから、辛苦かりたなれど、何彼の時節がまいりてきて、日本の元の経綸どおりに、是から先の世はいたすから、一日増しに神力が高うなるぞよ。

世の立直しの御用をさせる為に、因縁の在る身魂は、色々と辛い修行がさして、何んな事でも忍耐れる様にいたしてありたぞよ。

それで因縁の無い身魂は、此の大本の中に居りても、勤めが辛いなれど、是から段々と世界の事が激烈くなりてくるから、今辛い様な身魂では、此の先の御用は到底勤まらんぞよ。

余程の修行を為ておかんと、此の大本の中の行り方が今でさえ辛い様な人は、各自にその覚悟を致して居らんと、世の元の生神の御揃いありて、御守護が在り出したら、嬢や坊で育ちた肉体は辛うて、能う辛抱いたさん身魂が沢山に在るぞよ。明治二十五年から続いて同じ事を、何程書いて見せても、口で申さしても、実地が出て来んと真実に致さんが、今度の二度目の世の立替えは、昔から未だ無い大望な事であるから、人民では見当が取れんから、十分に筆先を覗き詰めて、神の誠の精神を汲み取りて居らんと、筆先の読みようが足らんと、此所という所に成りて、狼狽る事の無いように、力限り根限り、腹の中へ入れておかんと、真最中に成りた折に耐れんから、此の大本へ立ち寄る因縁の身魂は、男も女も中々胴が据わりて居ると、世間の人から申すように成るまで、神徳を貰うて居らんと、心が間違うて居ると、今迄に信心致した事が、何も効能が無くなるぞよ。

がいこくから渡りて来られん悪の霊魂が、日本の神国へ渡りて来て、日本の上に立ちて居れる守護神も、下の守護神も、サッパリがいこくの霊魂に化り下がりて了うて居るから、天地の御先祖様の御恩も知らず、神の威勢も無き様に、下に見降ろして何とも思わず、悪神の頭目が大きな誤解を致して居りた事が、今チクチクと分明かけて来て、頭目の心がモヤモヤと大分肝へこたえて、ビクビクと致しかけて来たなれど、今に成りてから気が付いて、ジリジリ舞うた所で、後の祭りで間に合わんぞよ。

斯うなるのが能く解りて居るから、がいこくの守護神の頭目に、綾部の高天原から、変生男子の手で筆先に出して、大本の中で日々筆先を、大声揚げて読まして在りたなれど、何うしても今迄は聞き入れ無かりた故に、今の有様であるぞよ。気の毒でも、悪の霊の世の終りと成る時節が廻りて来たので在るから、何う仕様も無いぞよ。

攻めては、下の守護神になりと頭から改心致して見せて、言い聞かして、チットでも改心の出来る身魂を拵えたら、夫れだけは赦してやるなれど、余り悪が覇張り過ぎて了うた後であるから、何を言い聞かしても、気の付く守護神が今に無いから、天地のビックリ筥を明けて、一度に開いて、改心をさして遣らねば、何時まで言い聞かしても判らんから、止むを得ず実地を為て見せて、一度に改心を致させるぞよ。

一度の改心は辛いぞよ。人民三分に成る所まで行くぞよ。神、出口を恨めて呉れなよ。

此の世でさえも限り替えがあるのに、能くも是丈、心の限り替えが出来んとは余りであるぞよ。

あまり世界の守護神、人民の改心が出来んので、世の立替えが十年余りて延びたから、モウ日本の元の経綸どおりに致さんと、がいこくの申す事を何時までも誠に致して、言うように成りて居りたら、ジリジリと身魂が減りて了うて、双方の国も立たん様に成りて、此の世界は元の泥海に成るより仕様は無いぞよ。向うの国の悪の先祖が、偉大企図を為て居るなれど、悪のたくみは、終いは泥海に成るより仕様の無い企みで在るから、今の間に全然精神を持ち直して、残念を堪忍りて、霊魂を水晶に洗濯して改心を致さんと、此の先モ一つ我を出して行ろうと為たら、万古末代、底の国へ投り込まれて了うから、天地の先祖の申すように致(いた)して、此(こ)の世(よ)の変換期(かわりめ)に、善一(ぜんひと)つの御道(おんみち)へ乗(の)り換(か)えて、善(ぜん)の方(ほう)の活動(はたらき)をいたして、天地(てんち)の御恩送(ごおんおく)りをいたすが結構(けっこう)であるぞよ。

是(これ)でも未(ま)だ聞(き)かずに、思(おも)わくを立(た)てるなら、日本(にほん)の神(かみ)の経綸通(しぐみどお)りの規則(きそく)に照(て)らして了(しも)うて、黙(だま)りて知(し)らぬ間(うち)に霊(れい)を平(たい)らげるから、茲(ここ)まで何時(いつ)までも知(し)らしておいたら、日本(にほん)の神(かみ)の失態(おちど)にはモウ成(な)らんぞよ。

誰(だれ)に由(よ)らず、是(これ)からは神(かみ)の申(もう)す事(こと)を叛(そむ)いて、何事(なにごと)なりともいたしたら、善(よ)い鏡(かがみ)と悪(わる)い鏡(かがみ)とを今(いま)から出(だ)すから、大本(おほもと)へ出(で)て来(き)て是迄(これまで)の世(よ)の行(や)り方(かた)と、是(これ)からの善(ぜん)の行(や)り方(かた)とを、能(よ)く腹(はら)へ入(い)れて、其(そ)の行(おこな)いをいたして、この大本(おほもと)へ立(た)ち寄(よ)る身魂(みたま)から一番に改心をして、世界中の守護神人民に、善の鏡を出して見せたら、自然に神は表に現われて、三千世界が助かる経綸で在るから、世が治まる迄筆先で気を付けるぞよ。

余り守護神、人民の改心が出来んので、世の立替えが延びたなれど、何時迄も延ばす事は、天地から御許しが無いから、止むを得ずボツボツとはじめるから、今迄に延びた丈は、何事も一度に出現から、何時の事じゃと思うて鼻先で聞いて居ると、俄かに狼狽んならんぞよ。

腹の中に誠さえ在りたら、神の申す事が心の底に残りて居るから、サアと云う所になりたら間に合うなれど、腹に誠が無いと、何時の間にやら抜けて了うて、肝腎の正念場に一つも用に立たんから、折角山坂越えて、永らく信心いたした事が、水の泡になりては約らんぞよ。

明治三十六年旧四月一日

艮の金神変生男子の霊魂が、出口の手を籍りて、何彼の事を知らすぞよ。

昔から世に落ちて、隠身と成りて経綸て在る事が、時節が参りて金神の世に成るから、物事は速く成ると出口直に申して在るが、此の大望な事の割には、はじめたら容易に出来るなれど、何を申しても人民の改心が出来んので、物事が正反対に成りて了うたぞよ。

神は人民を改心さして、世の立替えに掛かろうと思うたなれど、余り人民の身魂の曇りが甚いので、日本の中にも大分激い処が在ろうやら知れんから、今度は人民の力では行かんことであるから、何事も素直になりて、神に縋れと申すのであるぞよ。

是から、何も彼も筆先で知らした事が判りて来るが、判りて来る程烈しく成るぞよ。

昔から世に落ちて居りた荒神が、艮の金神が表に成るに就いて、次々に世に御上がりに成りて、昔から仕組みて在りた事が世界から実現来るから、是までの様に思うて居ると、何彼に付けて了見が違うから、日々に知らしてあるのじゃぞよ。

上に立ちて居る人は、大きな思いが違うぞよ。

日本の人民、慾に惑けて、学斗りに凝りて、自己主義の行り方で、理屈斗り申して、学力で弁解を致して、我の悪を隠そうと企みて、一生懸命に学を勉強して、人を下に見降して、我が上へ昇りて、安楽に暮す事を考えて居るが、是が、がいこくの悪の施政方針であるぞよ。

日本の国は、神力で何事も行ける結構な国で在るのに、がいこくの体主の教えに従うて、日本の神の教えをチットも用いずに、全部誑されて居りて、がいこくに如何な経綸を致して居るという事も、解らずに居る日本の上下の人民は、今に天地の先祖様に申し訳の無き事が出来致すぞよ。

大正四年旧十一月六日

大国常立命が世界へ現われて、三千世界の三段に立て分けてある霊魂を、それぞれに目鼻を着けねばならんと云う事が、筆先に知らして在るが、時節が参りて来たから、何も彼も一度に忙しゅう成るから、日々に出る筆先を見て、其の様の行為を致して下されよ。

此の筆先は、神の言葉の代わりに書かすのであるから、変生女子が是からは段々と御役が忙しゅうなるから、肩も凝るぞよ。骨も折れるぞよ。

二度目の世の立替えを致すには、先ず第一ばんに、上中下の立て別けてある霊魂に目鼻を着けて、日本の霊の元の生粋の、日本魂の其の儘の火水神が、昔から松心で仕組致した一輪の生花で、手の掌が覆るのであるが、平とう言えば肝腎の邪魔に成りて、経綸が潰れるなり、此の経綸を潰す様な事で在りたら、永い苦労が水の泡に成りて、総損いに成りて、世界中が難渋を致す様な事がありては成らんから、今が一番に大事の性念場で在るぞよ。

今の御用は、何の身魂でもと云う事は行かんので在るから、時節を待ちて、因縁の身魂が寄りて来んと、外の身魂では頭で判らんから、其の系統の身魂でないと判りも為ず、改心も出来んから、其の系統の身魂に御話を致させると、自分が是まで為て来た事が肝玉に感動て来て、依然として居れん様に成りて、其の系統系統へ判りて来て、思うたとは何彼の事が、延びた丈は速う成るようの仕組が為ては在るなれど、何に就けても事業が大きなから、余り肝玉の小さい守護神に使われて居りて、愚図愚図いたして居りたら、全然後廻しに成りて了うから、我と我身を攻める事に成るから、余程大きな心を持ちて居らんと、万古末代に一度の、結構な御用に外れる事が出来いたすから、神がクドウ何時までも、気を付けるので在るぞよ。

大事の事を早う申して仕損いが出来たら、取り戻しが成らんから、大事の事は後へ廻して、成可く気を静めて、分かる処へ………時節が参りて来て居るから、因縁の身魂が其の系統へ参りて、元からの御話を聞かせると、能く判明て物が速く成るなれど、因縁の無い身魂が相互に参りて聞かせようと思うても、其のすじすじの系統の身魂で無いと、実地の因縁が分からんから、何返参りて聞かそうと思うても、能う解けんぞよ。

我の性来の筋の元が、我の仕て来た事を、実地を申して聞かせると、腹内に浸み込みて、是では善に立ち復らねば、悪の働きでは行けんが道理と云う事が、能く解りて来て、我の血統へ改心をさせに、眷属を使うて、夫れ夫れに善の御道でないと、此の先は一足も前へ行く事も、後へ還ることも出来んように成ると申すことが、判り出すぞよ。

世界中が九分九厘と成りて、往きも還りも成らんことになりて、日本の霊の本には一厘の秘密が致して在りて、世界の人民の判らん、智慧や学で考えても、悪でも何でも出来ん事が在るぞよ。

地の先祖の活神が其のままで、世界中を山の谷々までも、全然無いと思うて居りた元の先祖が、ドエライ経綸を為て居りたので、〇〇〇〇〇悪の方では、モウ少時も行けんと云う事が、世界中へ一度に分かりて来て、依然して居れんように成りて、悪で茲まで為て来た事が水の泡となりて、フクロ鳥の宵企みで夜食に外れて、いろはからの手習いを致さねば、斯の世には住いて貰えん時節が参りて、逆立ちに成りて苦しむ守護神が出来ると云う事が、毎度明治二十五年から、斯う成りて来るから、引き続いて知らして居るように、何事も成りて来るから、悪ではモウ一足も、往きも還りも成らん事に成りて、善の活動のいろはから勉強を致して、是迄の心をサッパリ捨てて了うて、是までの行り方を、上から下の行り方、斯の世一切の行り方を全然替えさすから、今では真実に致さねど、代わりかけたら速いぞよ。

時節が来たら、何事でも速く代わりて、善い事も悪い事も何事も、一度に開く梅の花、一度申して在る事は皆出て来るぞよ。

永い間の経綸であるから、遅し速しは在るなれども、何も順に出て来出したら早うなるから、世界中を桝掛引いた如くに致すから、〇〇〇是までの行り方は、余り大きな不公平が在りたから、世界には謀反が起きて来て、悪では斯の世が治まると云う事は〇〇〇〇、何時に成りても国の奪り合い斗りで、内外の国も治まるという事は無いぞよ。

善一つの世で無い事には、何時に成りても、天下泰平には世が治まらんから、世の元の天地の根元の大神が、善一つの世で治める世の秘密が、一寸の処に、誰も出来ん事がして在るから、悪ではモウ一寸も前へ行けんぞよ。

善一つで末代の世を治める経綸が為て在るから、此のさきは、玉水の陸の竜宮の音姫(おとひめ)どのの、海(うみ)の竜宮(りゅうぐう)を明(あ)け渡(わた)し成(な)されたなり、陸(あげ)の御宝(おたから)も海(うみ)の御宝(おたから)も、世界中(せかいじゅう)みな天地(てんち)の先祖(せんぞ)の所有(もの)を取(と)りて居(お)りた大盗賊(おおどろぼう)を、善(ぜん)の道(みち)へ立(た)ち帰(かえ)らして従(したが)わす、善一(ぜんひと)つの御道(おみち)に致(いた)す一厘(いちりん)の秘密(ひみつ)で、世界自由(せかいじゆう)にいたす時節(じせつ)が参(まい)りたぞよ。

大正三年旧五月二十四日

大国常立尊(おおくにとこたちのみこと) 変生男子(へんじょうなんし)の御魂(みたま)が、大出口(おおでぐち)の大守(おおかみ)と現(あら)われて、三千世界(さんぜんせかい)の身魂(みたま)の立(たて)替(か)え立直(たてなお)しを致(いた)すぞよ。海外(むこう)の国(くに)の科学(がく)の教(おし)えは結構(けっこう)と申(もう)して、日本(にほん)の元(もと)の御魂(みたま)を滅(の)うして居(お)るぞよ。

学問さえありたらば、何所までも登れると申して、大きな取り違いをして居るから、世界は何事につけても、甚大い困難であるぞよ。現世には何が結構と申しても、神力が第一に結構であるぞよ。日本の守護神が取り違いをして居れるから、人民はその筈であるぞよ。神力と学力との、力競べの世がまいりて来たぞよ。

時節には何も叶わんぞよ。

従来の世は物質の世でありたから、日本の霊の元の根本を、全然棄てて了うて、天の神徳も地の神徳も無視に致して、外教と科学を結構と思うて、外教と科学とで末代続くように思うて居れるが、日本の国は、がいこくの教義では立ちては行かぬ国であるぞよ。

日本の学者ほど鼻高になりて、天の御先祖様の御恩を、思い遣りのない人民ばかりであるぞよ。

前途の見えぬ守護神に使われて居る肉体は、一時に困る事が出来るから、前途の見えすく守護神に使われて居れば、世界に何事が出て来ても、経綸通りが出て来たと胴がすわるぞよ。

日本の国には、世の元の天と地との先祖が、現時代の来ることの仕組を能く知りて居りて、爰までは蔭の守護でありたから、日本の経綸は誰も知るまいがな。

ろ国の先祖の仕組みて居ることを、天地の先祖は皆帳面に記けてあるぞよ。天の御先祖様と地の先祖とは、永世の事が皆仕組みてあるぞよ。二度目の世の立替えと云うような神業を致すのには、前後の見えんようなことでは成就せんぞよ。行り放題、行き放題に仕て居ると、現今の様になると、末世の事がよく判りて、何事も経綸がしてあるから、日本の国の仕組通りに成りて来るぞよ。時節参りて、九分九厘と世界の事がなりて来たら、天の御三体の御加護が夜昼に烈しきから、変性男子の御魂には、歴々と実地の正体が見せてあるぞよ。身魂を磨けば、天から真象を見せなさるぞよ。何程でも神徳は与すなれど、取りて呉れんから、何彼の事が遅くなりて居るぞよ。明治二十五年から申してあるように、直には変な方から蔭光が射して、天からは何程でも水晶の光渡り出す也。水晶の球が何程でも見せてあるぞよ。

地の竜宮館の高天原であるから、天地の神宝を授け申すぞよ。筆先通りの象を天から見せるぞよ。御筆先に出したら実地が出て来るぞよ。昔から無い事であるぞよ。

従来の世は邪悪の世でありたから、斯ンな事は為て見せて無いなれど、今度の二度目の世の立替えを致したら、水晶の世に致すのであるから、神となりたら宝玉というような物は不要から、天の宝玉も地の宝玉も、地の竜宮館の高天原、本の宮へ降り込みて来る也。地の宝が流れ込むと云う形を、大出口の筆で顕わすぞよ。

大正二年の十一月の二十三日の夜の八時に、大出口直に天照皇大神と竜宮の乙姫どのとがまいりて、国常立尊と同一御霊の変生男子の身魂とが一つになりて、大事業に御苦労なされて居れるを御知り遊ばして、竜宮の乙姫殿の御宝を、天照皇大神と金竜海の霊水の地の竜宮館の乙姫殿と御両方して、大出口の守に渡してある世界の宝が、本の宮へ皆納まる時節が循りて来たぞよ。

筆で書かしてある事も、初発から直の口で言わしてある事も、皆毛筋も違わぬように成りて来るぞよ。

善き事も、世界には、厭な事も、延びた丈は一度になりて来るぞよ。

大正四年旧六月十一日

大国常立尊変生男子の身魂が世界へ天晴顕われて、昔から此の世出来てから、未だ無い事を仕て見せてやるぞよ。

これまでの末法の人民の心には、何程結構な事を眼の前に見せてやりても、見えも聞こえも致そうまいがナ。これまでの末法の人民には、斯ンな実地を見せたとて、お蔭も能う取らず、授られも致さぬ。斯いう事に天はなりて居るなれど、地の世界は惨いことであるが……。

一時の改心は辛いから、最う延ばす事は出来ぬから、言うてやりても真実に致さず、お蔭の取らせようが無いから、大出口直の筆で、大国常立尊が書いておくから、お筆先を見ておくと、その通りが天地から出て来るから、御三体の大神様のお手伝いが、これだけ日々昼夜にありても、今では出口直が見る丈で、躰躯に火がついて居りても判らん、お蔭の取らせようが無いから、神の心を砕くのであるぞよ。

綾部の大本は信者を沢山寄せて、歓ぶ所で無いぞよ。

従来は、旧道と新道と道が両種こしらえてありて、何方の道に就くという事を視て居れば、矢張り楽な方へ就く。

これでは、誠意が無いという事がよく判りて居りても、さア今変えるという事も出来ず、一日延ばしに延ばして、最う一寸も前へ行く事は出来ず、直に言わしても聴く者は無し、天から御両神の御手伝いというような、畏れ多い事が出来て居りても、何を言うやら位に外、取りはせぬぞよ。

何事も言葉の代わりに、筆先に細こう書いて見せても、それも解らず、何彼の事が遅くなりて、世界の事が動きが取れん事になりて来て居るから、最う一度に開かな、御用する身魂が無いなれど、些とは有りも致すであろうから、これだけ続いて、日々に大望な事ばかりを、因縁の身魂にはさして、辛い目に逢うて居るのに、大神業は何時来るかと申して、大本へ不足を申す守護神が、何ぞ善い事が出て来るように思うて、大きな取り違いをして居ると、却って其の人に困る事が出来て来るぞよ。

其ンな些さい事を念うて居ると大きな間違いで、御用所か、小さい胆玉では、喫驚して飛び出て仕舞うて、早速に大本へも来られんようなことの無い様に、大きな胆玉に致して、腹帯を確乎と緊めて居らんと、耐れんような事が世界には有るぞよ。

めぐりの甚深い所には、甚大い借銭が在る由って、厳酷い審判があるぞよと申して知らしてあろうがナ。

善い事にも悪い事にも、身魂が為て居る丈のことを、世界中現わして、以後は悪い事は出来ぬように、善一ツの真の道が造りかえてあるから、造り替えてある道へ乗り替えて、日本の御用の出来る守護神は結構なり、百方言いきかしても、頑張りて聴かぬ身魂は、根底国へ落として了うから、今度は最終であるぞよ。

早く埒をつけて、後の立直しに掛からねば、永く世が逆さまに覆りて居りた故に、天の大神様を、大の字逆さまに致して（大）、円に十を書いて、八分黒う致して見せてありたが、現世が彼の通りになりて居るという事が、書いて見せてありても、真正の事は人民では判るまいがナ。

実地をして見せても、永々直が申して知らしても、真実に致す人民は未だないぞよ。これだけ実地を仕て見せてあるが、大の字を逆様に、下方を向けて書かして見せば、それ丈の事により見えまいがナ。これだけに天地の神が苦しみて居るという事が、まだ判りはしまいがナ。

人民は万物の長と申して、神に亜いでの結構な霊魂を貰うて居る肉体は、神にもなれる、結構な神の容器になれる、神の次の人民が、日本よりがいこくの方が好くなりて、男も女もがいこくの風をする人民は、偉物じゃと申して、薩張り日本の精神が顛倒りて居る故に、天の御三体の大神様を、真ッ逆さまに致して、永い間苦しめたが、何彼の時節が循りて来て、真正の神の世になりたぞよ。

日本の人民が元の大和魂に立ち返らんと、最う何時掌が反るか、天地のビックリ筥が、何時に開く知れんが、そうなると大神様の申しなされた事を致さならん守護神人民は、沢山出来るぞよ。逆立ちに成りて苦しむ人民、多数あるぞよ。

そうなると可愛相なから、此の時節がまいるから、明治二十五年から、今じゃ早じゃと申して急き込みたが、実地の真象が出て来る時節が循りて来たから、最う改心するのが遅れて来たぞよ。

余り登りて、蒼空ばかり見て居ると、地の世界の事が些とも解らずに、上に眼のつく人民が多くあるから、口を緘えて下を視て居ると、今度は好い御蔭が貰えるぞよ。お蔭取るのも落とすのも、心一ツの持ちようぞ。

大正四年旧六月十一日

大国常立尊変性男子の身魂が、全部表へ顕われて、身魂の因縁を顕わせて、変性女子の身魂を顕わせんと、天晴表面へ出ることにならんから、余り世が進みて、天地が逆様に顛覆返りて居りたから、地の世界に何を致しても、逆様ばかりで、実効と云うことが、一ッも出来て居はせん。

此の世界中の事は、何も皆さか様ばかり、此のさか様の世を本様に致して、御三体の大神さまを、元の至仁至愛の世へ世を戻して、元の日本の霊の元へ納めるぞよ。

サッぱり悪神の自由自在に爰迄は致して、元の御先祖様を機関であるというようなことを申して、天の日神月神は大の字さか様、丸に十になりてあるということが、明治二十五年に、初発に書かしてあろうがな。丸に十、八分余り真黒うして、白い場所が、二分切れて居ろうがな。身魂が彼の通り、その又二分の身魂が曇りて居るぞよ。今では九分の身魂が真黒うなりて了うて、改善どころか、一日増しに悪化るばかり、ドーモ劇甚いことに曇りたものであるぞよ。

世の元の天の大神様を、斯ンなことにして置いて、又地の世界の先祖までも、此の世に無いようにして居りたぞよ。稚日女岐美命は、地の底へ埋け込みて居りたなり、金勝金の大神どのは、我の強い御霊であるから、最醜悪界へ落としてあり、竜宮の乙姫どのは、沓島の海の御居住でありたなり。岩の神どのも、荒の神どのも、風の神どのも、雨の神どのも、地震の神どのも、艮へ押し籠められて居れた也。以上生神を、万古末代出さぬように、力のある神は、皆斯ういうことにしてありたのであるぞよ。残らずの金神は、山住居、高山へ退居て居りたので、大分道楽な神もあるぞよ。金神とまで申す神でも、余り永い間のことであるから、天狗宮賓と申すのは、皆この金神であるなれど、道楽な神があるから。選り抜きて使うと申してあるが、中には野天狗に堕落て居るから、今度の二度目の世の立替えには、元の日本魂の性来ばかりを御苦労になりて、立替えを始めるによりて、後の大立直しの御用が、なかなかに大事業であるから、身魂の磨けた日本の人民を容器に致して、それぞれのことに使うから、日本魂にならんと真正のことは出来んぞよ。

誠実の心の守護神に、使われて居る肉体でありたら、今度は婦女でも善い御用が出来るなれど、善い御用致す霊魂の肉体は、一通りの行では出来ぬから、悪く云われ、訴られ、詐欺師とか、飯綱狐を使うて居るとか、狸位に見られるぞよ。

役員の中にも、大本を悪く申す守護神に使われて居る肉体もありて、今になりてから、他を悪く申して上へ登ろうと致す様な、醜しき身魂も出来て来て居るぞよ。天地のビックリ箱が、近々に開くという尊い所であるから、霊魂の因縁の判るのは、綾部の大本より外には、天にも地にも無いぞよ。

神宮本宮はもとの宮、竜宮館の高天原であるから、天の規則が決まるという結構なことが出来て居りても、従来のヤリ方が善いと思うて居る守護神には、少々判り難いから、早う判るように、急き込みて知らしたなれど、間にあわん守護神が大多数在るから、最う何彼の時節が遅うなりて来たぞよ。

これまでに、是だけ知らしてある事が判らん守護神が、今からさか立ちになりても、心の持ち方が違うから、それは、ろ国の悪神の眷族で、日本を敵にして来て居る守護神であるぞよ。

大正四年旧六月十三日

根本の天と地との先祖の大神が、仏界に権現て、世界の守護して居りたなれど、何彼の時節が循りて来て、天の御先祖様と地の先祖が、昔の弥勒様の神道へ立ち帰りて、昔から査べてありた御魂を立替え立直して、安心な世に致すぞよ。

ぶつじと学問とで、爰まで日本の霊の元の大神の国を汚して、天から降りて大神の休む所も無いように汚したのは、世界の御土の上は降さんように致し、一と申して二の無い日本の国を、山の谷々、野の隅々までも、さッぱり汚して、大神は不用んものと致してありたであろうがナ。

誰の手にも合わん地の先祖の国常立尊を、艮へ押し込めて、此の世には最う無い神としておいて、悪魔の仕組で、末代この世を維持うと致し、最う一ツ悪を強う致して、日本の国を悪の先祖の仕組通りに致して、末代悪でやり抜く心算であろうがナ。

昔の根本からの事から何知らん事のない、天と地との活証文の天地の先祖であるから、帳面に記けてある如くに、何一ツ知らん事の無い此の方を、視損いを致して居りたが、今度は些と判りかけたであろう。何であろうと、此の方の眼で一度睨みたら、めったに違わんぞよ。

小さい事でも、世界の事の大きな事も、眼で見いでも、人の腹の中が見え透く神であるから、此の内部は一日ましに気遣いになるから、これまでの世に出て居れた守護神では、この前途は能く承知を致して居らんと、筆先通りになりて来るから、気をつけるのであるぞよ。

末代に一度ほか無いというような、大望な御魂の立替え立別けであるから、誤解と慢心とが一番にこの内部は畏いぞよ。

これ程上り切りた世の中へ、昔から此の世出来てから無いと云うような、大望な事が、これほど日々明白に御守護がありても、見えも聞こえも致さんと云うような、惨い事になりて居るのが、暗闇であるぞよ。

水晶霊に磨けんと、海外の国の申すことを、おっとまかせで居ると、かなわんことが出来てくるぞよ。確乎いたして、元の日本魂の性来に、男も女も成りて居らんと、日本の国の間に合わんから、婦人でも男子が敵わん位に、日本魂を固めておくがよいぞよ。

皆ンな揃うて、従来の悪のやり方を、全然棄てて了うて、大和魂の性来に成りて居らんと、がいこく魂では、日本の国が三千世界を救済るという事は六カ敷いぞよ。

天地の根本の大神は、何う云う事で、今日まで御苦労なされたと云う事を弁えて居らんと、真の事が判らんぞよ。世界の人民、鳥類、畜類、虫族まで、息ある物をよくしてやりたいとの、深い思し召しを汲み取る守護神人民が、今にないというような惨い事に致して居るが、此の度の天からの御手伝いが、大本の内部に、これ程結構にあるのに、言えば気に障るし、言わな何も判りはせんし、元の日本魂に立ち返りたら、天の事が視え透いて、人間界が厭になるぞよ。

天からは水晶魂ばかりが降りるようになりて、御三体の大神様の御手伝いが明白にあるが、人間界は醜くて、神とは何も反対ばかりで、善と思うて為す事が、神には気障りのことばかりであるぞよ。神の為にと思うてして呉れる事が、皆反対の事ばかりより出来ては居らんぞよ。

天地の大神様を、一日も早く顕わさんことには、大本の信者と成りた甲斐が無いぞよ。一日も早く、これ丈のことがあるのに、些とは判りそうなものではないか。

出口直の前に、これ丈の事があるのに、真実に致す人民が無いが、能くもこれまで曇りたものである。実証をこれだけ見せても、詐欺師とより見えぬぞよ。言うてやりても、未だ真実に致す人民が無いなれど、そンな事に心を悩んように致して、日々出る筆先を人民に見せんと、何時になりても御蔭が取れんぞよ。

世界中が総曇りであるから、善き事をして居りても、左程に思いはせんし、悪い事を仕て居りても、それ位な事は当然じゃというような、混乱な真暗がりの中に居る人民であるから、大出口直に実地を見せておいて、その実地を筆先に書いて見せるから、それを見て改心を致さねば、日本の国の御地の上には、置いて貰えんようになる守護神が多数出来るぞよ。

耳にタコが出来る程言いきかしてあるぞよ。今の守護神につかわれて居る人民は、がいこくの性来になりて了うて居るから、言いきかした位に、聴く者が無いぞよ。一平らに上流と下流とが、いッち改心が出来難いぞよ。三段に区分てある身魂を立替え立直して、眼口鼻を着けねばならんのであるから、何につけても大難事であるぞよ。身魂の立替え立直しが中々の大事業であるから、人民の思うて居るような、小さいことで無いぞよ。

二度目の世の立替えを致して、万古末代の事をきめて、今後は悪というような道を、さッぱり平らげて了うて、昔の弥六様のお造りに成りた善一ツの真正の道を開くから、これまで悪で思惑立てた身魂の性来を、平らげて了うから、悪の霊は利かんように致してやるぞよ。善に立ち返るなら、亦善くしてやるなり。この先の世を、団子に致そうと、棒に致そうと、三角に致そうと、四角に致そうと、此の世を自由に致すぞよと、毎度申して筆先に出して知らしてあるように、何も出て来るぞよ。

玉水の竜宮の乙姫どのが、日の出の神と引ッ添うて、筆先通りに致すぞよ。玉水の竜宮館が高天原と定まりて、昔の天の規則を地の高天原で決めてあるから、此の規則を背いたら、今後は末代までお赦しはなき事にきびしくなるぞよ。

直の規則破りの御魂は、二度目の世の立替えの御用を勤め上げて、赦して貰うて、今後は善と悪との亀鑑を先繰りにだすから、悪の亀鑑にはならんように、誰によらず致されよ。今後の懲罰は、末代御赦しが無いから、此の大本の内部は、男も女も身を慎みて、不調法の無いようにして下されよ。

今後は大本の内部は、大変日に増しに、きびしくなるぞよ。初発から大分悪い亀鑑が出て居るぞよ。大本に善き事も悪い事も、末代名を書き残して、不調法の出来ぬようにきびしくなるぞよ。何も時節がまいりたから、従来の世に出て居りたズンダラな守護神では、この大本の勤めは辛いぞよ。今では好きなようにさせてあるなれど、善悪を立て別けて、規則を決めると、天と地とが揃うて来て、上下揃えて昔の神代へ世が戻るから、この内部も、今のようなズンダラな事はさせんぞよ。一度何でも申したことは用うる人民でないと、天地の大神は、ズンダラな人民は使わんぞよ。この綾部の大本からは、善悪の鏡が何時になりても出るぞよ。

現在の醜誤人を、さッぱり立て別けて了わんと、何彼の事が判らんから、日に日に自己の精神が間違うて居らぬかと、自己の腹の中を日々改めて下されよ。人民というものは、ちょッと行きよると、知らぬ間に、自己の心が上り詰めて居りても判らんぞよ。他人からは能く判るから、取り違いと慢心とが一番に怪我の元となるから、気をつけた上にも気を付けるぞよ。

神の気を付ける折に気がつかんと、此の大本は後で何程お詫びを致しても、聴き入れは無いから、これまでの世は、前後構わずに、その場のがれの処世術で、嘘でつくねた世でありたから、誠実は些とも無いから、天地の大神の御心に叶わんやり方でありたぞよ。

毛筋の横幅でも混ぜりの無いように、立替えを致すのであるから、世に出て居れる方の守護神には、大分辛くなるから、今じゃ早じゃと申して、急き込みたなれど、今に判らん守護神に使われて居れた人民が可哀想なから、今に気を付けるのであるぞよ。

天地の大神は、大の字が上を向いて、元へ戻るから、結構になるなれど、天地の大神を無いようにして置いて、利己主義で、下の御魂が上へあがりて、神はこの世には不用ものと申して、末流の神やら、渡りて来た身魂が上に登りたなれど、以後は最う降るより為様は無いぞよ。

今後は上る身魂と下る身魂とで世界中の混雑となり、掌は反るし、ビックリ筥は開くし、何彼の事が一度になりて来て、其辺が眩うて、耳が鳴りて、彼方からも此方からも、変な所からも護光が射すぞよ。眼の前で光り、耳の側で鳴るばかりで、何が何やら判らぬようになるぞよと、毎度筆先で気が付けてあるが、申してあるようになりて来るぞよ。

燈台脚下は真暗がり、此の村の人、引ッ付いて居りても、心がないと判らんぞよ。昔から無い事であるから、御魂に因縁が無いと判りはせんから、改心が出来難いのであるぞよ。がいこくの身魂では、耳に這入りかけが致さんぞよ。可哀想なものであるぞよ。

神というものは、暑さ寒さの厭いもなく、昼夜も構わずに守護致して居りても、人民には判ろまいがナ。大出口直には判るであろうがナ。人民というものは万物の長でないか。日本の霊の元の大和魂の性来でありたら、何も見え出して、今の人民の内には、居るのが厭になるぞよ。

天地が光り渡り出すぞよ。斯ンな結構な世になるのに、がいこくの身魂になり切りて居るから、何実地の事を申しても、善い加減な事を申して居る位に見えようが、実地が来るぞよ。

大正元年旧十月五日

大国常立尊変性男子の御魂が、出口の守と顕われて、世界の守護致すぞよ。世の元の根本の生神であるから、此の生神が天晴表に現われると、何も判りて来るから、辛い守護神が出来るなれど、此の方が表になりて覇張るのではないぞよ。斯ういう世に成る事を能く知りて居る、大元の先祖であるからと申して、覇張りたのではなかりたぞよ。

天と地との先祖の造り固めた世であるから、先祖の元の神でないと、世界中の事が判りはせんぞよ。がいこくの神では、元にこしらえてある事がわからんから、誠の世の洗濯はできんから、何遍でも世が後へ戻りて、斯ういう困難な世が参りてきたのじゃぞよ。

今度の二度目の世界の大立替えは、末代に一度ほか無い、大望な世の立替えであるぞよ。

立替え立別けなら、何うなりと致して無茶で致せばできるなれど、後の修理固成の大事望が、中々骨の折れる事であるぞよ。一色や、二色や、三色や、五色や、十色でないぞよ。何につけても大望ばかりであるぞよ。

世の立替えは何時でも始めるなれど、後の立直しの御用致す適材が揃わんと、立替えした丈なら埒は良いなれど、立直しの御用致す守護神も、使われて居る肉体も、水晶の心に磨けんと、神の御用に間に合わんから、斯ンなに六カ敷ゅう申すのであるぞよ。

神の世一代の中には、末流の神に何ンな世をもたして見てあるが、神が見て居れば、皆われよしの世の持ち方ばかりでありたぞよ。

天と地との先祖の神の心は、今に些とも息むという事は無いぞよ。

此の世ができてくるから、変性男子の御魂と変性女子の御魂が、産霊てありたという事が、毎度筆先に書かしてあろうがナ。

此の世がきた折には、世界中の困難となりて、何方の国にも金銭の入用のは程知れず、金融はだんだん逼迫になるし、何う為様も無きように、一旦世界中は火の消えたように成るから、斯うなりた折には、元の其の儘の、まことの神が現われて、二度目の世の立替えを致さねばならんから、此の方が世に落とされたのも、御都合のことであるぞよ。世に落とされた御魂と共々に、苦労艱難、口惜き事を致し、耐忍つめてきた身魂でないことには、今度の御用は出来致さぬのであるぞよ。

大本へ入りてきて、有難いばかりでは、今度の御用致すのは、神の因縁性来のわかる身魂でないと、只有難いばかりでは、結構な御用はできぬぞよ。

善い守護神もあれば、悪い守護神もあるから、其の事がわからんと、悪き守護神がでてくるから、よく見わけぬと、表皮善く見せて、悪神がでて来るから、審神者が余程骨が折れるぞよ。われの心が曇りて居ると、曇りて居る霊魂がわからんぞよ。余程見わけんと、善い方へは挙げられんぞよ。わかりて来る程、われも私もと申してでて来るぞよ。

暑さ凌いで秋吹く風を待てど、一旦世界は寂しくなるぞよということが、筆先で知らしてあるぞよ。余り富貴た、仕放題に致して来た御魂の肉体は、心が何とのう寂しゅうなるから、斯うなりた折に、これ迄の心を持ちかえて居らんと、難渋なことが世界からでてくるぞよ。

斯うなりてくるまでに、身魂に今迄の心を持ちかえて居るように、続いて日々知らしてありたが、善いことも悪きことも一度に出て来るということが、毎度変性男子の御魂の出口直の手で今に知らしてあるのに、誤解を致したり、何もわからずに能いことばかりに眼を付けて居ると、大間違いができるから、間違いの無いように、綾部の大本は、世界の元となる尊い所であるから、初発には皆に行がさしてあるなれど、真正の行をさしたら皆逃げて去ぬから、たらして茲までは来たなれど、綾部の大本は、世界の元となるのであるから、何事も大難事であるぞよ。大望大望と申すのを、取り違いをして居る人が、まだ多数あるぞよ。出口直に口で言わした事も、手で書かした事も、毛筋も違いの無いことであるぞよ。些とも違いられん事であるから、余り早うは言われん事であるぞよ。早う申すと、神界の都合で些と延びる事があると、筆先が嘘でありたと申して、御蔭を墜とす者が出来るし、真正の事は猥りに人には言わぬし、言わんでお蔭を墜とすし、出口を雁尻巻に致して置いて、門へも出さずに、茲まで漸う漸う出来をさしたぞよ。中々辛い取次であるぞよ。

綾部の大本は、遠国から開けて来るぞよと申してあろうがナ。何も違わん、遠国から早く解る人が出て来るから、近傍の人が恥ずかしき事が出来ると申して、筆先に書いて知らしてあろうがな。此の綾部の郡長、警察、役場が、世界へ恥ずかしき事が出来ると申して知らしてあるぞよ。余り判らんと恥ずかしくなりて、逃げて去ななならん様になりて来るぞよ。

何彼の時節が遅くなりて居るから、立替えと先の立直しの御用が同時になりて、良き事と悪き事とが、今に出て来るぞよ。

遠国から出て来る高鼻者に、割りとは早く改心が出来て、立直しの御用が予想とは早くなりて、外国の方が改心が早うなろうも知れぬということも、知らしてあるぞよ。立替えが大層延びて居るから、初めから、物事は迅いという事も知らしてあるぞよ。

近傍程天理が判りて居らぬぞよ。遠国の人が一度参りて来ても、良いお蔭を取りて去ぬ人が、向後は段々出来るぞよ。燈台下は真暗がりであるが、神は困るのではない、其の人が可哀想なからと申して、耳にタコの出来る程知らしてあるぞよ。斯の教は人を引ッ張りに行く道で無いなれど、余り今の人民が判らんので、神が見て居れんから、取次をこしらえて引ッ張りに遣りたなれど、余り出口を世に落としてありて、見当の取れん御用がさしてあるから、疑うのは尤もであるぞよ。今度の御用は、人民が何程寄りて来たとても、因縁のある身魂でないと、大本の神秘の御用は出来んぞよ。人民力でも、智慧でも、学でも出来ん大望な事があるのじゃぞよ。

又人民で出来ん御用は、太初の荒神が、実行を致すから、この世の鼻高が往生致して、此の世にはえらい神があるという事を悟るぞよ。又真正の鼻高が一度にわかりて来て、えらい御手伝いをなさるぞよ。

この世が来るから、変性男子と変性女子との身魂が造えて在りての、今度の二度目の立替えであるから、男子は筆先で世界の根本の事から、万古末代残る世の政策を書かしてあるなり、女子は世に出て居れる方の事を、この世は斯ういう事に成りて居るという事がさしてありて、初発はまるで敵のようでありたなれど。厭な事は皆縁類にさして見せてあるぞよ。

変性男子の規則破りの懲戒を、天から御赦しを戴きた御蔭で、二ツに分かれて居りた霊魂が一ツになりて、天晴と表に現われて、三千世界の守護に懸かると、世界は大分騒がしゅうなるなれど、速く立替えを致さんと、向後の立直しが遅くなると、世界中が困る事が出て来ると、何も知らぬ人民が可哀想なから、立替えと立直しとが一所になる事も、筆先に今まで何遍も知らしてあるぞよ。変性女子のつとめも変わりて、坤の金神に納まりて、皆和合が出来て結構であるぞよ。

何も仕組通りになりて来るぞよ。

悪の守護神に使われて、改心の出来ぬ肉体が、此の先は可哀想なれど、茲まで知らして気がつけてあるのに、今に解らん守護神に使われて居るような肉体に、言い聴かして居る暇がないぞよ。

今度の二度目の世の立替えと申すのは、さッぱり世の洗い替えであるから、何につけても大望であるぞよ。

今度の大望は、天ばかりでも出来ず、地だけでも出来ん事であるから、三体の大神が地上へ降りて手伝うてやらんと、地丈では出来んぞよ。

国常立尊の仕組通りに致さねば、外の守護神が混ぜ返すと、総ての事が遅くなりて、世界中が困るから、向後は神の不可ということを致したら、その場で懲罰を致すぞよ。

これからは、此の中は一日増しに変わるぞよ。

実地を申しても、真実には致さんから、何事も遅くなるのじゃぞよ。一度できけば、物が迅うなるなれど、人民は自己が身をせめるのであるぞよ。これから未だ疑うて、我を出して、われの思うようにする守護神に使われて居る肉体でありたら、じりじり舞いを致すぞよ。素直に致す守護神であるならば、すぐから楽に生計るなり、ならんという事を聴かずと致したら、苦しみが出来るぞよ。苦しみ度くば、筆先を背いて、何なりと致して見よれ。心の中でジリジリ舞いを致すぞよ。従来とは、物事がさッぱり変わるから、申すように致さな、その人に苦しみが出来るだけであるぞよ。

これ迄の世は、眷族が覇張りて、大将無しの世になりて居たから、さッぱり世が上下へ顚りて、人民の致すことが皆倒さま斗りで、神の尊慮に協わぬ事ばかり外、出来て居らんぞよ。

是迄に世の立替えはありたなれど、真正の世の立替えは一度も出来ては居らんぞよ。世を何遍立替え致しても、肝腎の大立直しを致さずに、立替えしてあるから、些と行きよると、又世が後へ戻りたなれど、今度の二度目の世の立替えは、末代に一度ほか無い世の立替えであるから、下拵えに隙が要りたのである。当座や金の立替えでは、早刻に後へ戻るぞよ。今度の立替えを致したら、巌に松の世になるから、今度の事は何につけても大望であるぞよ。立直しの守護致立替えは埒能う致した所で、後の立直しが中々大望であるぞよ。す守護神は、昔の元の大和魂の、些とも混ぜりの無い御魂でないと、向後はズンダラな守護神は、一方も使わんから、世に落ちて居りた荒神の守護神を、大望な御用に使うぞよ。

中々御苦労な御用であるから、世に落ちて居れる守護神でない事には、世に出て居れる守護神では、出来ん事をして貰わな成らんから、六カ敷いと申すのであるぞよ。世に出て居れる身魂は、行という事がして無いから、真正の神の御用は出来ぬから、それで上下へ御用をかえてあるぞよ。

世が悪開けに開けて、元の先祖の大慈悲という事が、末流の神に無いゆえに、信実が些とも無いから、世が悪くなるばかりで、今の難渋であるぞよ。他の苦労の結果で世を持ちて見ても、心に誠の無い守護神ばかりでは、世が持てそうな事は無いぞよ。

此の方が世に落とされて、この世に無い神に強いられて居りても、世界の根本から、この世を蔭から構うて居りて、仕組がしてあるので、仕組通りに何彼の事が、世界から出て来るばかりになりて居りても、守護神に今に判らんような事では、真正の神とは申されんぞよ。

前後の事が見え透いて、暑さ寒さは構いもいたさずに、夜分に足を伸ばして寝るという事も致さずに、世界を潰してはならんから、昔からまだ楽という事はなしに、引き続いて世界の守護して居るぞよ。

ズンダラな守護神は、利己主義で、他は何うでも、自己さえ善けら善いで、糊口に致して来た守護神は、向後が大変に辛うなりて来るなり、辛かりた守護神は、
神のお蔭が現われるぞよ。

これからは天と地との先祖が、何にも指図を致すから、今迄の世の持ち方とは、

天地の変動になるぞよ。

斯ういう醜しき世になりたのは、従来の世は、上ばかりで、下の無い世になりて居りた故に、下の政治が出来て居らんから、地の世界に大将が無かりたから、地の世界を働く守護神が怖いもの無しになりて、利己主義の強い者勝ちとなりて居るから、何も判らんちくしょう界であるぞよ。

日本の国は、ぶつや学では不可ン国であるのに、神はこの世にあるものかと申して、学さえありたら、此の世は何ンな出世もできると申して、結構な日本の国を、斯のような醜しき国にして仕舞うて、実地の神の眼からは、眼を開けて見られんようになりてきたぞよ。

今の日本は小さい国ではあれど、世界の結構な国であるから、がいこくへ与ることはできん神の国であるのに、肝腎の大和魂は、がいこく魂になりて了うたのが九分あるぞよ。

竜宮の乙姫殿の御宝は、末代世の元の本の宮へ納まる世が循りて来たぞよ。

斯うなるにつけては、上は上の行、下は下相応の行いを致して区別を立て、何かの規則を決めるぞよ。規則通りにいたさねば、向後の世は厳しくなるぞよ。これまでとは天地の違いに変わるぞよ。

真正の身魂が揃うたなれば、如何にいたしてもビクともいたさねど、神界では直のつぎつぎ、一の番頭、二の番頭から改心させるぞよ。

大本では、一の番頭二の番頭は役員であるぞよ。何程元が艱難をいたして、天地の御先祖を世にだそうと思うても、皆の心が揃わぬと、中々大望な御用であるから、自己が早く出世したいような事では、事物が成就致さんぞよ。大望であるから、誰にも解らん仕組が致してあるから、仕上がらんと実地の事が判らんぞよ。役員は、従来のような卑劣しい心を棄てて了うて、生新の心を持ち直して、何も神に任して居りたなれば、事物が迅くなりて善くなるなれど、自己の利巧で致そうと思うて致したら、初発は善いようでも、仕組が違うから、又物が延びるから、そうなると又嘘であると申して、神の名を悪うするばかりであるぞよ。心に誠のある人民でないと、今度の仕組は判らんぞよ。

役員は筆先を見詰めて、充分に了得て居りて、何ンな事を問われても、弁解が出来るようになりて居らんと、善い加減なお噺を致して、人を寄したら良いのではないぞよ。

行に出る者は結構ではあるが、解らん者が、元の神のお話は、一通りの行して居りては、真正の事が判らんから、誰も大本へ参りて、身魂を磨いた其の上で、御用致すが結構であるぞよ。

身魂に因縁ありて、何所までも誠を貫く、心の固まりた、寝るのも忘れる位の熱心でないと、根本のお話は出来にくいぞよ。

綾部の大本の御用するのは、初発から松の心で、迷い心の無い身魂でないと、何ンな事して居りても、お話さえすれば良いのではないぞよ。一通りの改心では、天地の教えは人に説く事は六カ敷いぞよ。中々人は聴いては呉れんぞよ。

真実の神の教え致そうと思うたら、これまでの様な事をして居りては、真正の教えは出来んぞよ。昔から無い事が出来ると申してあろうがな。斯ンな事が来て居りても、側に居りて能う解けんような役員ばかりであるから、改心致して、身魂を磨けと申すのであるぞよ。斯ンな結構な事をして見せても、見えも聴こえもせぬ暗がりの惨い世の中であるから、向後は神力を劇しく現わして、改心さして見せるぞよ。

筆先が皆実現て、天の御三体の大神の御守護が在り出して、天地が揃うたから、世に墜ちて居れた活神の守護となると、余り神力が高うて、今の人民に守護して居れる守護神に判らん事ばかりで、大変慮が違うて来て、其辺あたりが光り渡り、鳴り渡るばかりで、狼狽てジリジリ舞いを致すぞよと申して、筆先で知らしてあるぞよ。

世界の事を仕組むには、夜昼暑い寒いの厭のある様な身魂では、この世は、末代の世はもてんぞよ。一通りの身魂が何程寄りてやりても、世はもてんぞよ。

大正二年旧九月十一日

………二度目の世の立替えの来るのを、待ち兼ねたぞよ。

末代に一度の大望な世の立替えは、何彼の事に大変骨が折れるから、世の元の天と地との根本の大神の仕組通りに、何事も成りて来て、最う一度に致さなならん

なり。世界には、大きな事も小さい事も、何も一度に成りて来て、世界の人民は
トチメンボウを振るぞよ。
大本の役員胴を据えて居らんと、綾部の大本は病気直しの神でないぞよと、毎度
筆先に書いて知らしてあろうがナ。病気などは、自己の心を水晶に致したら、病
魔は躰躯の内へは、怖うて能う這入らんぞよ。
今の世は、がいこくのみぐるしきカラの身魂になりて居るから、亡霊やら、根底
国の極悪神の眷族やらが、皆悪事を企みて、神国の世を汚して居るから、日本の
国には邪神の霊が殖えるばかりで、斯んな醜しき国になりて了うて、真の神から

眼を開けては見られんぞよ。汚うて、世の洗濯を致さねば、何時迄も人民に言うてきかしたとて、些とも効能が無いから、効験の無い事に永く懸かりて居りたら、何ちらの国も亡くなりて了うぞよ。

日本の国の人民も醜しいが、がいこくの人民は、尚々神の眼からは醜しいぞよ。大本の分支会合所の布教師の中には、信者を大本へ詣らしたら、大本へ奪られると申して、邪魔を致して居る守護神が出来て居るが、誠意が無いと申しても、余ンまりであるぞよ。天と地との元の大神は、見て見ぬ振りを致して居りたが、最早これからは厳しく審査致すぞよ。

気のついた守護神は、一時も早く改心致されよ。真正の事は、大本へ詣りて、変生男子の筆先と、変生女子の実の行動を見て、我の心に照らして見んと何も判らず、却ってお蔭を取り外す事が到来致すぞよ。

斯ンな判らぬ布教師に手引きしられて居る信者は、可哀想なものであるぞよ。斯ンな布教師は、早く改心致さんと、最う赦さん事になりたぞよ。

日本の遣り方、今ではさッぱり邪神界の守護となりて了うて、男子までが頭に油を塗り、顔に白粉を付けて歩く時節になりて、さッぱり化物の世になりて、大和魂の人民は、薬にしようにも無いように成りて居るが、これでも日本の神国の人民と申されようか。腰抜ばかりで、世が何時までも続いて行く道理が無いぞよ。能うもこれ丈、乱れて来たものであるぞよ。神の眼から見れば、今の日本の神国には、人間らしい人間は何程も無いぞよ。これでは日本も、世が続かんのであるぞよ。

又婦女も、身だしなみは肝腎なれど、今の婦女は、紅、白粉、油を無茶苦茶に塗りつけて、服装を凝らして、表面から見れば立派なようであるが、それ丈精神は反対に汚れて居るぞよ。

今後世の立替えと成るから、男子も女子も、今迄のやり方を全然かえて居らんと、神世になれば、今迄のような遣り方は、神から赦さん事になるぞよ。今迄の世は、表皮ばかりの世でありたから、心の中は腐りて居りても構わぬ暗がりの世でありたが、最う斯ンな醜しき世は、終末になりたぞよ。明治二十五年に、出口直の手と口とで、三千世界一度に開く梅の花、艮の金神の世になりたぞよと知らしてあるが、最う一度に開く時節が参りたから、むこうの国の七頭も八頭もある八岐大蛇を平らげて、日本の天と地との大神の仕組で、この世を治めるぞよ。一度筆先に出したことは、相違は無いぞよ。

綾部の大本は、此の広い世界に、外では判らん事の判る世界の大本に成る、尊い霊地であるから、ちッと違うた行の出来て居る守護神に使われて居る肉体でないと、此の方の御用はさせんぞよ。

三千世界の事を、さッぱり変えて了うのであるから、一番に夫婦の事から変えて了うぞよ。此の世に夫婦というものは、因縁の深いものであるぞよ。御魂の因縁性来を調査めて、この霊魂と彼の霊魂が夫婦という事に、縁を結びて、又児に成る霊魂を授けて、児の身魂を親に世話させるのも、因縁の深い事であるぞよ。夫婦の道は、何につけても世の基本であるから、一番大切であるぞよ。世の紊れるのも、夫婦の道から大方は出来て居るぞよ。

此の世を末代続かすには、水晶魂に致して、一人も悪神の守護神の無きように致して了うてから、みぐるしき身魂は、一人も日本国に置かんように、厳しく致すぞよ。

曇りた御魂の肉体は、最う出直しで、えらい根底国へやられるぞよ。

きびしく成るぞよ。

大正三年旧九月十九日

………日本の人民、皆揃うて大和魂になりて呉れたら、世の元の根本の生粋の只ッた一厘の御胤で、昔の元へ世をねじ直すのであるから、大和魂が些とでも日本魂の霊を入替え致して、日本の国の真正の御用に使うぞよ。今度は生粋のありたら、数は要らぬ、成就致すのであるぞよ。

日本の国の結構な御神魂を、がいこくの空御魂に、斯ンな惨い事にしられて今の体裁、世の元の大神はくやしきぞよ。

この松の世が来るのを待ち兼ねて居りたが、時節が参りて、元の弥陸様の世へ、世が戻る時節が参りて来たから、世界の人民、誠の心に立ちかえらす仕組が致してあるぞよ。

国の攻略というような、惨たらしい世になりて、世界中の難渋、こんな詰まらん事は先ず無いでは無いか。斯ういう事に世界中がなりたのは、矢張りがいこくへ上がりて居る極悪の霊が強慾なから、今の世界の躰裁であるぞよ。

善の心でありたなら、悪い謀計は致さねど、悪魔というものは、悪業が深いから、初発はトントントン拍子に行くなれど、九分九厘成功という際で、目的外れるぞよ。

がいこくの悪神も茲まで致したなら、最う不足はあるまいぞよ。

向後は、霊の元の根本の天の御先祖様が、善一ツの御道を潰さん為に、爰迄の艱難をなされた御蔭で、地の世界の光輝の出るようになりて来たから、また地の先祖からは、天の明徳を出さして貰うようになりたぞよ。

昔から神の仕組で、一ツの御魂を両ツに分けて、半分の御魂を女に致して地の底へ埋めて置いて、錯わんように苦労艱難、口惜し、残念を耐りつめて来たのも、二度目の世の立替えの大望な御用が在る故に、心の冴えた日は無しに、爰迄の御用を致して呉れて、えらい目をさせたなれど、何彼の時節が参りたから、向後は楽に御用が出来るぞよ。

瑞の御魂も変生女子であるから、変化て御用がさしてありて、中々御苦労でありたなれど、女子の因縁も説いて聴かせる時節が参りて来たから、変生男子の身魂と変生女子の身魂とが、天晴世界へ現われたら、世界中の人民が、一度に改心致すぞよという事が、筆先に書いて知らしてあろうがナ。何も時節が参りて来て、天地のビックリ箱が開くと、改心せずには居られぬようになりて、各自に翻然と黙りて居りて、改心を致すようになるぞよ。

変性男子は、筆先で世界にある事を知らす御役也。女子の身魂は、世界が斯ういう事になりて居るという事を、実地に見せて罪を贖りて、人民を救済ける御役であるから、人民の眼からは悪魔に見える事もあるぞよ。善に見える事もあるぞよ。女子の事は如何様に見えても、構わずに見て居りてくだされよ。めったに不調法は致させぬぞよ。女子には結構な神が憑依てあるから、細工は流々、仕上げを見て貰わんと、人民では判らんぞよと申して、筆先に知らしてあろうがナ。女子の行為の善く見える守護神もあるぞよ。悪く見える守護神もあるぞよ。其の人々の心通りに見えるぞよ。女子の身魂は化かしてあるぞよと申して、筆先で知らしてあろうがナ。迅く気がついて、改心の出来た守護神に使われて居る肉体は、良くなる也。何時までも頑張る身魂は、浪に捉られた沖の船、何所へ取り付く島はなし、又後へ戻りて加減悪う、白米に籾が混じりたように致して、因縁の身魂は何所までも御用せねばならぬようになるぞよ。

綾部の大本から、御魂の因縁性来を査別いたして、天下泰平に世を治める所は、この広い世界中に、外には無い尊い所であるから、諄う気をつけたなれど、昔から無い事であるから、智慧や学術で何程考えても判りはいたさん、大望な所であるから、素直なのが良いぞよ。頑張る者程、加減が悪うなるぞよ。

此の方も、我で失策りた神であるから、我は出されん世であるぞよ。今度の事は、自尊心が些とも無くては不可ぞよ。我も無くては、斯ンな御用いたすには、柔和しいばかりでも間に合わんぞよ。自尊神は成る丈、臍下丹田へ鎮めて置いて、従来の心をさッぱり棄てて了うて、元の大和魂になりて居りて下されよ。太初の神代に世が戻るのであるから、これ迄の心の持ち方の守護神に使われて居る肉体、霊魂は、日本の国の御土を踏まして貰えんように、厳しくなるぞよ。従来は悪の世でありたから、悪い事をする守護神ほど上へあがりて、出世が出来たなれど、さッぱり世がかわりて、悪の霊は些とも利かんように立替えるぞよ。上下に顚倒りて居りた世が、元へ戻りて、昔の弥陸様の世になるのであるから、善一ツの真正の道が造り替えてあるから、最う道が一ツになりて、心安き弥陸様の世に近寄りたぞよ。

この世になれば、今迄に覇張りて居りた悪の霊を選り分けて、根底国へ放りて仕舞うて、生粋の水晶の世にいたすのであるから、中々骨が折れるなれど、末代善一ツの世に致して、向后では、立替え致さいでも宜いように致すのであるぞよ。

大正三年旧七月十四日

……三千世界の引ッくりかえりて居るのを、元へ捻じ直す世が参りたから、神の方は、大変何彼の事が厳しくなるから、向後は日の出の守護となるから、従来のような心で居りたら、生神の守護の世は、何彼が気遣いになりて来るぞよ。沓島、冠島へ落ちて居りた生神は、何ンな行もして来たし、さしてもあるぞよ。

艮へ落とされて居りた元の国常立尊に、三千世界の世を、弥勒の世に擁護えとの、天の御命令を戴いての今の御用であるぞよ。

従来の世のヤリカタは、些とも致さんから、大変立替えが延びて居るから、何所から何が破裂致すやら知れんように成りて居るから、日本の人民よ、腹帯を確乎と緊めて居らんと、ビックリ致すことが出て来るぞよ。

善悪の鏡の出る大本であるから、初発からドンな鏡も出して見せてあるから、悪い計策を起こして、恐い処へ連れ行かれて、鏡に成りて居る人も在るし、慢神いたして、悪い加賀美に成りて居る人も在るぞよ。

出口直を度々気を注けに遣りても、聞かずに苦悩みて居る家も在るぞよ。神の申す事を敵対うて、自己の力で成就たように思うて居るが、此の方が庇護てやらんと、自己の守護神の力だけでは、今後は少とも、何事も成就んように世が変わるぞよ。そんな事に気の付く人民はチットも無いから、暗の世と申すので、自己の真価が自己に了解まいがな。是までは、悪魔外道の時代で在りたから、地上の世界に大将の無い世で在りたから、人民の主護神が、我一力で行けたなれど、此の先は神力でないと、世は治まらぬぞよ。

此の方は一度宣言した事は、違えられんなり。方便という事は一言も申されず、請合うた事は何所までも実行な成らず、上下揃うての神政霊治であるから、八百万の神様が、斯の施政方針では、日々が苦痛と衆議決定て、此の鬼門の神を大将に致すなら、能う勤めんと、揃うて天の御先祖様へ、上奏弾劾を為されたので、止むを得ず大勢の申す事を採用なされて、御先祖の御神勅で、艮へ押し込まれたので在りたぞよ。

天地混沌未剖群類未発の折の神業から、末代の事までも書かすために、変性男子の身魂には、永い間の神秘大経綸がさして在りて、神政成就の機運が廻りて来たから、筆先に警告して在る事が、一度に実現くるぞよ。何処も恨める所が無いぞよ。

一度に開く梅の花、世が代わりて、昔から斯の世に無い事が、綾部の大本の陸の竜宮館の本の宮に、天が地に化りて、神政成就が出来るから、皆改心を致して、小精神を煉磨て居らんと、辛い事に成るから、此期に成るまでに、皆が揃うて、神の御用が出来るように成りて居りて呉れいと申して、茲まで知らしたなれど、出口直を余り惨う落として、昔から無い大層な御用がさして在るから、誰も皆大きな誤解を致して、今に隣知らずと云うような、惨い事であるぞよ。それも神の都合の在る事ぞよ。

如斯して解らぬように致して置かねば、神政復古之大神業を早く明示したら、慾な人民が寄って集って、無茶苦茶に致して、直も間に合わんような失敗が出来るから、斯の世には無い所まで落として、御用を奉行て在りたぞよ。

今度の事は世に落ちて居て貰わんと、神が世に落ちて居ての経綸で在るから、初発に直に、糞糠よりも降下て居て呉れいと申して置いたが、神の申すように為てくれた御蔭で、神界の経綸は一切上十致したから、何人が出て来ても、爪も立たんように成りたぞよ。

如何大困難事でも、誠さえ有りたら貫徹遂行るぞよ。

大正元年旧七月四日

大精神国永遠無窮強固建立神言返照火水神の御魂が、大神威霊力発揚の神と現われるぞよ。

是から天晴神政総統者にあらわれて、世界へ神力を証明てやるぞよ。そうなる迄に、世界の人民が改慎を為ておかんと、天地が覆りて居るのを、大元へ復すのであるから、人民の智慧や学では出来ぬ神業であるぞよ。

真実の経綸は、智慧や学者や高位高官富者人民では、了解は致さぬぞよ。

生れ赤児の本心に復らんと、神の心は分からんから、肝腎の御用は勤まらんぞよ。

世に出て居れる加美に、今度の世の革正の出来る守護神は、一方もないから、ひととおりの平民には無い筈であるぞよ。

是からは申してあるように、善と悪とを立て別けて、万民に改過遷善をさせて遣るぞよ。

余り人民の我慢が強過ぎて、今までの世は、大地を主宰する国祖の大神が無いようにして在りたから、地の世界が常暗に成りて了うて、恐いものが無かりたから、今の世界の斯の状態であるぞよ。

何程神力の有る大元の先祖でも、天は天の先祖なり、地は地の先祖が構わねば、天ばかりでは、地は思うように守護ぬから、天祖と地祖とが一致になりて統治るぞよ。

今までは、天地揃うての世で無かりた故に、悪神の世で、利己主義の行り方で在りたから、強いもの斗りが上へ上がりて、悪神の恐怖る生神がなかりた故に、渡りて来られん筈の悪鬼邪神が、ぶつと学とを輸入て来て、日本の国を茲までけがしたのであるぞよ。

艮の金神は、今までは世界に無い神と為られて、蔭の守護で世界を審査てあるから、モウ貧乏動ぎも成らんように、蜘蛛の巣を掛けた如くに為てあるぞよ。世の大元の活神を無い神として、悪神が覇張りて、能うも茲まで汚したものであるぞよ。是から御礼いたすぞよ。野獣的外国の盗賊邪神が、斯の世の出来ん先から、天地未剖陰陽未分の際からの悪計で、悪の仕組が茲まではトントン拍子に、面白い程成効なれど、悪神の天下は寿命が短いぞよ。

根幹断れて枝葉続くとは思うなよ。幹が在りてこそ枝も在るぞよ。大本が断れたら枝は枯れるぞよ。大本を無視放棄に致して、途中から経営した事は、末代は続かんぞよ。モウ悪神の世は断末魔ぞよ。

日本の国の為政者官公吏連が、がいこくの施政方策の真似を致して、全然たいしようを看板に致して、利己栄達主義の暴政をいたすから、日本の国の今の此の惨状であるぞよ。

日本のかみのまことのみちを、がいこくの政治に変更して、かみ様の天権を束縛して了うた故に、人民の中の鼻高までが、かみを蔑視して居るぞよ。

がいこくの世の施政方法は、日本の国には間に合わんぞよ。世を立替えいたして、本の日本の世の統治方の国体に建直すのであるぞよ。

善の道は永く苦労いたして、悪く謂われて、トコトン世に落ちて、斯の世には為ん事はないと云う処まで令変化たり、和光同塵的活動而艱難をいたした成れど、モウ表現れる時節に迫りて来たから、何時までも蔭光ては居れんから、是までの心を改革て居らんと、気の毒な人民が大多数に出来るぞよ。

夫れでは可愛想なから、日々今に続いて警告して居るなれど、人民は如何様に懇諭してやりても、能う了解んから、露骨に申して知らしてやるぞよ。出口直の言で、其の儘を見せて遣りても、能う得心致さぬような有様であるから、役員の伝教では、改心が難しい筈であるぞよ。世界の人民に憑いて居る悪霊の妨害が強いから、中々神の申す事は能う解けんので在るぞよ。

世の元の活神の顕現地において貰うのは、チット卓絶た身魂でないと、誠の神徳は能う取れんぞよ。此の大本の国体へ加入て居りたら、加美の神力を顕彰て呉れる身魂で無いと、目下では左程には無いが、一日一日に神力が強くなるから、何時までも同じように思うて居ると、俄かに驚動する事が出来るから、今の世界の人民と心が合うような事では、到底勤まらんぞよ。俗人の心と神の心とは、サッパリ正反対であるぞよ。

有難い斗りでは、神の御用は出来んぞよ。此の大本の中に居りても、実地の判るもので無いと、永らく神の傍へ寄りて、苦労いたした功能がないぞよ。

此の結構な言葉の代わりに、口で噛みて遣りて、咽へ入れたら可いように、出口直の筆で誌してある神諭が、世界を観て居ると、其の儘の事実が判るように予告してあるのに、夫れに大きな取り違いを致して、反対ばかり致すと、思うて居る事が顚覆に成りて、ジリジリ舞いを致さんならん事が出来るから、何時までも筆先で諭示してあるぞよ。

善悪（よしあし）が明白（ありやか）に立（た）て分（わ）かる時節（じせつ）が参（まい）りたから、此（こ）のさきは何（なに）に由（よ）らず気遣（きづか）いになるぞよ。

天地（おおもと）初発の火水神（いきがみ）は、当罰厳重活神（はげしきかみ）であるから、天神（てん）と地祇（ち）との御恩（ごおん）の悟了（わか）る、身魂（みたま）の一切（いっさい）の事（こと）の見（み）え透（す）く教役者（とりつぎ）で在（あ）りたら、今度（こんど）の神政復古（かみごとごと）の御用（ごよう）の間（ま）に合（あ）うのであるなれど、今（いま）の神（かみ）の取次（とりつぎ）いたす人民（じんみん）は、口先斗（くちさきばか）り立派（りっぱ）にあるが、神界（かみ）の誠（まこと）の経綸（しぐみ）が判（わか）らんから、仕損（しぞこな）いが出来（でき）るのであるぞよ。

取次（とりつぎ）が一角判（いっかどわか）りた心算（つもり）で、手（て）を曳（ひ）いて地獄（じごく）の釜（かま）へ連（つ）れて行（い）く、暗雲（やみくも）ばかりで、神（かみ）の胸（むね）の晴（は）れた間（ま）は無（な）いぞよ。

綾部の大本から、変生男子と変生女子との身魂が現われて、世界の人民の能う為ん大神業を致して、三千世界を根本から立直して助けるぞよ。

天下修斎の道を拡くのは、苦労が永いぞよ。悔しい残念を今に堪りて、誠ばかりを貫きて、今に成りて居るのに、未だ実地の教えいたす方の事が今に分からんとは、むごいものであるぞよ。

口では真実らしう申しても、心の中に誠のない者ばかり、世界一同に是から、悪魔の世であるから、出口直の筆と語とで今に続いて知らして有る事が、漸次世界から実現きて、ジリジリ舞いを向うの国に致して居るのも、彼方や此方の出来事も、皆今迄に知らしてある事ばかり、毛筋も違いは有ろまいがな。今に、実地を教えて居る太素の活神を、押し込めるような人民であるから、此の悪魔ばかりの社会では、神の誠の教えが本当に不了得のは、無理も無いぞよ。此の世へ出て居れる守護神の精神が、顚倒覆りて居る故に、世界の人民に判りそうな事は無いぞよ。

誠の善一つを立て貫きて居る元の活神は、悪神と貶称して居りた故に、今の世界の難渋であるが、真正の国悪が善に見えるから、今の日本の国の見苦しさ、立替えを致すにも掛かりかけが出来んが、永く掛かりたら、世界中が行けん事に成るし、急速に致したら世界は滅亡なるし、何方に成りても、モウ一寸も延ばす事は出来んなり、筆先通りの世が参りて来るから、元の活神の骨折りが解らんような、斯の世の守護神に使われて居る肉体にも、モウ少々位は解らんと、天地からの御懲戒があると、世界の人民が可愛想な事が出来るから、明治二十五年から、今に変わらずクドウ知らして居るなれど、未だに解る人民が一人も無いぞよ。誠実の事を口では誰も申すなれど、口と心と行いが違うから、真正の日本魂の人民は、上流にも下流にも無いぞよ。それで世界の立替え立直しが、困難であると申すのであるぞよ。

世界には困難が在る故に、元の生神が、永らくの艱難と悔しき事を今に堪りて諭示して居るのに、今の世の行り方の、安楽な方へうつる人民斗りであるぞよ。現代の施政は、初発は可いようなれど、生命が短いぞよ。

此の世界の大本に成る綾部の竜宮館の、高天原の大本へ出て来て、都合が宜かりたら神界の御用を致すなり、面白く無くば、自己の欲望を立てようと思うて居る守護神に頤使れて居る肉体は、今後は違うた事が出来るから、今の今まで気を付けておくぞよ。守護神と肉体と同一精神状態であるぞよ。

此の大本へ出て来て、誠の御用を致そうと思う人は、中々に苦労があるぞよ。

苦労を致さな誠の事は出来上がらんぞよ。

世界の修斎であるから、祭政一致の直接の御用を致そうと願う人は、陽気浮気では勤め上がらんぞよ。

世界には、何から破裂いたそうやら知れんと云う事が、申して在ろうがな。戦争ばかりで無い、天災ばかりでも無いぞよ。

何事も一切の改革であるぞよ。二度目の世の革正は、新つの天地を創造るよりも、骨が折れるぞよ。綾部の大元は、世界の加賀美の出る大神策地で在るから、大本に在りた事は世界に実現から、書いてある事も、出口直の口で言わした事も、毛筋も違わん皆在るから、世界は一旦は、日に増しに混雑に成りて来るぞよ。是までは太素の生神を、斯の世に無い神と致して、枝の神やら、輸入て来た国悪の邪神の心に移りて了うて、日本の忠良心を引き抜かれてしもうて、今度の神政維新の神業に間に合う守護神も肉体も、今に無いという有様であるから、止むを得ず、立替え立直しが後れて来て、世界は日に日に困難斗りが殖えて来るから……

……斯の神を表面に出すには、如何辛抱でも致すという心のある守護神に使われて居らんと、肉体には出来ん事であるぞよ。

皆、霊魂の因縁性来の事より出来は致さんから、筆先通りが出て来るのであるぞよ。天運循環時機到来のであるぞよ。

大正四年旧七月十五日

大国常立尊変性男子の身魂が現われて、世界の守護致すぞよ。

夫れに就いては、世界中の人民の是までの心を、サッパリ持ち代えさして、一番に日本の国の人民を、日本魂に立ち復らして、がいこくの精神と立て別けてしもうて、二度目の立替えを致して、未だ斯の世初まりてから無い事を致すから、歓ぶ身魂と、逆立ちに成りて困しむ身魂とが出来るから、心得違いの無いように、慎みて居れと申して、明治二十五年から、今に続いて知らして居るので在るから、がいこく好きの人民が、ビックリ致す事が近よりたぞよ。余り大きな誤解で、太きな息も出来ぬような事に成るぞよ。

何ぼ先の見えん守護神でも、チットは物を控え目に謂うて置かんと、実地の大本の経綸は一寸には解らんから、後で恥ずかしき事が出来るぞよ。

言えば言え、笑えば笑え、悪い口や毀貶の苦になるような、少さい経綸は為てないぞよ。

斯の神はチット経綸が大きなから、智慧や学で何程考えても、綾部の神宮本宮の大本の真象は解らんぞよ。此の神業が天晴世界へ判りて来たら、余り大きな取り違いを致して居りた人民が、逆立ちになりて御詫びを致すなれど、モウ左様なりてからは、何彼の事が手遅れと成るぞよ。

恐さ故の改心は間に合わんぞよと、永い間筆先で知らして在るぞよ。今悪う言うて居る人民位は、宵の口であるぞよ。世界の断末魔と成りて来たから、まだまだ天上の大神様まで悪く申す人民が出来て来るぞよ。

地の先祖は矢張り悪神でありた、竜神は邪神でありたと申して、自己の為て来た事は、良い事斗りを為て来たように慢心て、大神を恨みて、倍々悪く申す人民が多数出現るぞよ。

太古の根本の初まりから、善一筋を貫きて来た大元の先祖を、世界に罪相応の事が出て来たら、矢張り国常立尊も皆邪神で在りたと申すぞよという事が、早うから諭示してあるぞよ。

是が善の行り方で、真理であると思うて居りた方が、極悪で在るなり、悪と思うて居りた方が、善であるという事が了解るぞよ。

世界の艮に成りて来ると、邪神が狼狽えて、色々と神の邪魔を致して、悪い心の人民の口を籍りて、大本の行り方を山師とか、飯綱とか、口糊術とか、甘い言を申して人民をタラして、金を出さして食うて居るぐらいに外見えんが、我の心が悪いから、人のことが悪に映りて見えるのであるぞよ。

大正四年旧八月三十日

大国常立尊が末代の事を、直の手で書くので在るから、一度筆先に出した事は、毛筋も違いは致さんぞよ。
天の規則を破りた身魂が、二度目の世の立替えを致したら、何彼の事が厳敷くなりて、一寸でも背反うた行為をいたした身魂は、其の場で霊魂の素姓を表わして見せるから、悪の霊は一寸も利かんように、霊を平らげてしもうて、末代の鏡に致すぞよ。そんな酷いことに致したら、悪の守護神は、是迄とは思いが天地の相違でありたと云う事が、了得て来るぞよ。

改心を致して、産の心に持ち更えて、天と地との先祖の申すように致すなら、向後は何彼の事を箱さしたように、思うように行らして与るなれど、一寸でも反抗心の在る守護神に使われて居りたら、黙りて居りて帳を切りてしまうから、日本の国で帳を切られたら外国にも置いて貰えんぞよ。大地の上に住居の出来ん譴責に厳しく成るぞよ。従前のような放縦な精神を持ちて居りたら、其の場で厳罰が在るぞよ。

今度の二度目の世の立替え立直しは、人民が何程沢山に寄りて来ても、末代かかりても、昔の神の神力でないと、到底出来はいたさんぞよ。人民の智慧や学力では成就いたさんぞよ。

世が元へ還りて、昔の天の規則が、地の元の世の高天原の御屋敷に、西と東に天の御宮を建てて、三体の大神様が、末代降り昇りを成さるというような、結構な事に成る尊い霊地であるから、経営準備に時日が要りたので在るぞよ。天地の御宮の御用いたした誠の人民は、末代帳面に付けて、其の身魂を結構に致して、御礼を申すぞよ。

世の元から、変性男子の御魂と変性女子の御魂とが産霊てありての、今度の大経綸であるぞよ。一々万々確固不易之神言霊も操縦与奪其権有我之神言霊も、サッパリ和光同塵て、茲まで勤めさして来るのは、人眼から観ては見当が取れんようさねば、此の大望な御用は成就いたさんから、態とに変化して御用に立てて在るに致して在りたから、種々と悪く申して人民は居りたなれど、粗末に化かして致ぞよ。

利巧や学で考えても、綾部の大本の経綸は、出来上がりて了わんと、神機を織る人が、神機を織りもって、如何模様が出来て居るという事が判らんぞよと申して、何時も筆先に書いて見せて在ろうがな。何事も天地の先祖がさして居るので在るから、仕上がりて了わんと解りは致さんぞよ。

変性女子の御用も中々御苦労であるが、人民には判り難いなれど、モウ解る時節が参りて来たから、余りに是迄に悪く申して、敵対うて居りた守護神に使われて居りた肉体が、面目ないやら恥ずかしいやらで、来るにも来られず、来な何も判る所は世界中尋ねても外には無いから、慢神誤解をいたしたら、此の大本は困るので無いぞよ。其の守護神肉体が路頭に立つから、夫れを見るのが神は苦痛であるから、耳にたこが出来る程詳細気が付けて、今におき知らして居るなれど、自己が偉いと思うて、慢心取り違いを致して居るから、モウ取り戻しが出来んぞよ。世に出て覇の利く人民ほど、慢神と取り違いが在るぞよ。神は気も無い中から気を付けておくぞよ。

大正五年旧五月十四日

昔の根本の初まりのミロク様が、此の世の御先祖様であるぞよ。

斯の世が一平らに泥海の折からの事を、直々の御血筋の、変性男子に書かせるぞよ。

斯の世の御先祖さまが、地の泥海の中に御出来なされたなり、霊能大神どのも同じ泥海の中で御出来為されたのであるぞよ。口や書では早いなれど、中々の永い間の事であるぞよ。

それから直の御血統を御戴き成されて、地の世界を創造なさるまでの、独身での永い御艱難と申すものは、如何にも解る事では無い、人民では到底見当は取れは致さんぞよ。

地の先祖を直の御血統に成されたのは、限り無い末代の世を持たす為に、地の先祖の霊魂が大国常立尊の身魂の性来であるから、如何いたしても余り強い霊魂で在るから、此の霊魂がありたら叶わんと申して、皆の神々が同意いたして、無に致そうと思うても、煮ても焼いてもタタキ潰しても引っ裂いても、誰の手にも合わん神であるから、天のミロク様が、夫々の霊魂を拵えて御出でますので在るから、ひととおりの後世から出来た霊魂が、何程力の在る神でも、後世で出来た神は矢張り枝神であるから、枝は枝の様に、余り覇張らんように致して、我の霊魂の性来の事を為て居りたら、斯の世は穏かに世が治まりて行けるなれど、霊魂の性来の悪いのが呉れて行きよると、悪い謀反が、元からの性来が可かんのであるぞよ。

見苦しい性来の慾の深い身魂も、同じ泥海の中に居りた折に、腹の中が能く見透かして在りての、今の大変な、何彼の世界の難渋であるぞよ。

初発からの事が、一度に続いては書けんぞよ。余り永い間の事であるから、筆先のチット暇な折に、変生男子の手で大国常立尊が皆書くので在るから、合間に書いておかねば成らん、古き世の初発の事柄を末代残す、二度目の世の立変えの折の、初発から書いて在ること、毛筋も違いは致さんぞよ。

大出口直には、明治二十五年からのように思うて居るなれど、直の霊魂は此の方の霊魂が這入りて居りて、半分の霊魂が天照大神のお妹御にして在りて、死に変わり生き代わり、苦労艱難、悔し残念を今に致して居る身魂であるぞよ。直に二十五年から此の方が守護致したように、皆のものが思うて居るなれど、産から守護して居りたのじゃぞよ。

昔からの霊魂の因縁、性来の判る時節が参りて来て、昔から解らなんだ事が、世の元の事から往く末の事の、明白に解る時節が参りて来て、昔から無い事を綾部の大本から知らせるぞよ。

天照大神月読神の御出ましに御成りなさるに就いて、大国常立尊が現われるなり、大国常立尊が現われると、音姫殿は次に結構な大望な御用が出来て、音姫殿の御宝を上げて、新つの金銀を、綾部の大本に、二度目の世の立替えを致して、何も新つに成るのであるから、乙姫殿の御財宝を綾部の大元へ持ち運びて、新つの金銀を吹く準備を致さな成らんから、立替えの中で、後の立直しの大事の乙姫どのの御宝に光りを出して、変生男子の霊魂と大国常立尊の霊魂とが一つに成りて、その御宝は畏れ多くも天照皇大神宮殿と玉水の乙姫どのとお両方が、○○の大神と現われて、御受け取り申して在るのじゃぞよ。

経綸通りに準備が立ちて居るなれど、肝腎の大国常立尊が、未だスックリと御夫婦が御揃いに成りて御出んから、何彼の事が延びたぞよ。延びた丈は、世界の事が何事も善い事も厭な事も、何も一度に成りて来て、世界には上がり下りで混雑に成ると申して、毎度行く先に気が付けてあるぞよ。ここまでに気を付けておいたら、是に落度はヨモヤ在るまい、念に念が充分押して在るぞよ。

立替えが十年あまりて延びたから、立替えが在りたら厳しきから、今に知らして居るのに、今の人民は左程に思うて居らんが、一度に何も在り出したら、何うにも其処へ成りてから、何程天地へ御謝罪を申しても、天地の神は其んな事にかかりては居れんから、今の内に出て来いとアリアリ申して知らしても、ソンナ事は何時も申す事じゃと思うて、気楽に思うて居るから、又気を付け気を付け致したなれど、今の人民は余り悪胴が据りて居るから、実地の神も閉口であるぞよ。

今の人民には、神の神力を渡す人民は稀であるが、何程でも神は神力は与るなれど、貰うた神力の光りを能う出さんから、今の人民は心が神とは反対であるから。

神徳は今度は何程でも渡すなれど、神徳を持ち切りにはして貰えんから、貰うた神徳には光りを出して貰わんと、昔の初まりの事から、世界中を尋ねても世界中には解らん事の、誰も能うせん事の判る、世界の大本であるから、今では未だ誠に致さんなれど、綾部の大本の変生男子の書く筆先は、昔からの実地の仕組の筆先であるから、世界中が其の通りに成りて来るぞよ。気も無い内に知らしてあるように、世界が成りて来るぞよ。

何事も筆先に書いてあるが、未申の金神の身魂は改心の出来難い性来であるから、物が遅く成りたのであるから、何彼の事を素直に致したら、物が速うなりて、世界が速く善く成ると云う事が、筆先で気が付けて在ろうがな。坤の金神が改心が遅かりただけ、物が遅く成ると云う事が、筆先で知らしてあるが、坤の金神申すように致せば、余程物が速く成るのに、一段遅れると大変に何も遅れるから、申すように皆が致されよ。竜宮の乙姫殿が、初発の結構な大望な御用が出来て、世界中の立直しの御用なさるのも、皆心一つの持ち方であるぞよ。

善い御用の出来るのも、イヤな事の出来るのも、是までに形の無い事であるぞよ。

昔の元の天地の古き大神は、皆仏事に化りて守護を致して居りたぞよ。ぶつじと学の世の了いとなりて来たから、悪では地の世界のお土の上では、一足も前へ行く事も、後へ戻ることも出来んようの時節が廻りて来たぞよ。

天地の先祖を斯の世には無い如うに致しておいて、斯んな良い世は無いと申して、世に出て居れる方の神の御歓びで、茲までは好き寸法の行り方で、我良しで、悪賢い守護神が上へ上がりて、下の事に眼の着く如うな優しい身魂は無い如うに、悪で搦みて了うて居るから、二度目の世の建替えを致すには、何彼の事に暇も要るし、骨の折れる事であるが、其の筈じゃ。解りた身魂が毫ともないから、日本の国の今の難渋、これから善の根本の活神が皆揃うて御活動に成るから、始まりたら何事もバタバタと埒が付くぞよ。

斯の世へ出て居れる神の精神が悪いから、世界中の何も知らん人民が、知らず知らずに悪魔に成りて、此の状態で世の建替えを致さずにおいたら、日に増しに斯の世の人民が、鬼と悪蛇と悪魔斗りに皆成りて了うて、身魂がジリジリ減りに人が無くなるぞよ。残りて居る人民も、何う仕ようにも仕様の無い如うになりて、人民を供喰に致すように成りて、それはイヤらしい世になりて、斯の世が一旦絶滅て了うぞよ。

是までとは、モ一つ叶わん世に成りて、一日増しに霊魂が無い如うに成りて了う処までの事が判りて居るから、日本の根本の天の御先祖様が、撞能大神様であるのに、粗末な事に為ておいて、枝の神やら、日本の国へ渡りては来られん、がいこくへ上げてある国悪の向うの先祖が、日本の御系統を巧い事に抱き込みて、学で日本魂を曳抜きて了うて、日本の神徳の無いように、元からの国悪の仕組通りに、トントン拍子に爰までは面白いほど昇れて来たのが、九分九厘で悪の輪止まりと成りて、悪の霊が一寸も利かんように、善一筋のミロク様の根本の良い世に戻るのであるから、此の先は元の『いろは』四十八文字の身魂で、世界中を通用いたさすぞよ。

今度の世の立替えで、末代の世の持ち方が規るのは、永らくの間の御苦労をなされて、此の世界を御拵えなされたミロク様を、茲までに、何うでも可いという如うな待遇を致して在りた悪神の行り方を、明治二十五年から全部顕わしてあるから、悪の方からの言訳は出来よまいがな。悪かったと気が付いて来て、天地へ御詫びを致さんと、許して遣るという事が出来んから、気の付いた守護神から御詫びをいたされよ。

いつ何時に手の平が覆る判らんぞよ。手の掌がかえりたら、何どころじゃ無いぞよ。世界中の何彼の事が一所に成りて来るから、其んな事に掛かりては居れんから、是までに度々気が付けて在りたなれど、気が付いて御詫びに参りて来た守護神が、今にないぞよ。

何事も、天地へ御詫びを一旦は致さん事には、此の先は、是までの世の持ち方がサッパリ代わるので在るから、新つの世に成るから、今迄の心では、誰も相手に成りて貰えん風来者となるぞよ。是までの様な鼻高で居ると、皆風来者となるぞよ。

がいこくから渡りて来た守護神は、一日も速う我国へ帰りて、居所の事をいたすが宜いぞよ。日本の国は日本の行り方に為て了うぞよ。

日本の国は本が霊の元であるから、霊の主の見習いを致して、元の誠の行り方に皆代えさすのであるから、今までとは天地の変わりに成るぞよ。

変わりかけたら速いから、是までのように思うて居ると、後廻しに成りては約らんから、改心改心と一点張りに申して、同じ如うな事を毎度書かしたが、何彼の時節が参りたから、改心為勝ち、利益を取り勝ちになるぞよ。何も一度に成りて来て、忙しゅう成ると申してあるぞよ。

是のさきは、日本の内に出来た身魂は、善一つに立ち復りたら、夫々の御用を命令を下げて遣るなれど、毛筋の横巾でも悪の性来の混ぜりた身魂は、日本の国には置かん規則に制定たから、是迄の心の守護神は日本の国には居れんぞよ。

善一つの誠の道の、天地の御恩の判る守護神から善くしてやるから、善の御道へ乗り替えれば、此の先は嬉し嬉しの生き花が咲いて、末代萎れぬ活花の咲く、綾部の大本に成る尊い所であるから、早う改心を致した身魂から宜くしてやるぞよ。身魂身魂に出来る事をさせて貰うて、善と悪との立て分けが在るから、早う善へ立ち復る身魂から宜く致して、二度目の世の立替えの初発の誠の御用に使うぞよ。二度目の世の立替えを致す綾部の大本の御用は、ひととおりの誠正直の身魂では、間に合わんと申して在るぞよ。産の心の身魂で無いと、昔の元へ立替える天地の御用であるから、末代肉体の其の儘で居る活神が出て活動かねば、霊魂ばかりの神では到底間に合わんぞよ。

天の大神様の御指図で、地の大国常立尊が命令を下げて使うから、鎮まりて発根の胴を据えて居らんと、ポカついては何も出来んぞよ。ジックリと揃うて、各自に我の心を改めて見て、此の心では掃除が出来て居るか、此の心では活神の御用が出来るものかという事を、十分に我が考えて見て、誠が通りたなら、神から夫れ夫れ身魂相応の命令を下げるから、其の上で無いと、大事の御用は直きから出来んぞよ。

神の方は大変に厳しく成るから、爰へ成りて来た折に、直ぐに御用が出来るように、腹の中の塵埃をサッパリ投り出して了うて、身魂の研き合いを致すように、明治二十五年から日々に、爰までの筆先を出して知らして、心を革えて居りて呉れいと申して怒られる程知らしたが、モウ立替えの筆先は、モ出す事が無いぞよ。

大正四年旧八月二十八日

大国常立尊変生男子の身魂が、大出口の守と現われて、世界の守護を致さねば成らん世が参りたから、何事も前に知らせるぞよ。

何彼の事が天地の守護と成りて来たから、今出る筆先に書かした事は速いから、直きの筆先を、斯の人と思う人には読まして置かんと、大神の守護になると一日増しに烈しゅうなりて来て、是だけの筆先を見ようが足らんと、俄かに忙しゅう成ると間違いが出来るから、何彼の落度の無いように、此の内部の事、行儀行為も、初発から神の精神に叶う行状の出来て居る人と、行いの悪い守護神の肉体とは立て別けが在るから、何んな行為して居りても、御用は出来るという事はないぞよ。

天地の先祖の実地の御用を致すには、水晶の身魂でないと、大神の名を汚す如うな守護神の肉体には、誠の御用は出来んぞよ。

天の御先祖様は日の大神様なり、天照皇大神宮殿、地の世界の先祖が大国常立尊、竜宮の乙姫殿、日の出の火水を御使い成されて、夫婦揃うて、天地の大神の片腕に成りなされての御活動であるぞよ。

岩の神殿、荒の神殿、風の神殿、雨の神殿、暗剣殿、地震の大神殿、金神殿の行状の何も揃うて出来る御方、選り抜いて使うぞよ。金神の中でも放縦不規なのは使わんぞよ。

厳しく成るから、爰に成るまでに皆が解りて居らんと、逆立ちに成りて困しまんならん守護神が沢山出来るから、明治二十五年から昼夜に、皆の神々に気が注けて在りたぞよ。

今度大神様が御揃いに御成りなさるのに、間に合う守護神は、世に出て居れる方にはチットモ無いと云うような、惨い事に世が乱れて了うて居るぞよ。斯うなる事は、世の元から能く解りて居りての何彼の大望である、斯んな惨い事に成りて居りても、実地の大神様の御苦労に成りて居りても、解らんと云う如うな時節に成りて了うて、暗黒で何も解らん世界の守護神に、明治二十五年から知らしてありたが、道を二途拵えて、辛い道と楽な道と二筋こしらえて見て居れば、皆が楽な方へ就いて、楽な行り方で行きよるが、この道は少時するとトント行き当りて、行く先が無くなると云う事も筆先で知らして在るが、知らした事は皆実現くるぞよ。遅し速しは在るなれど、皆出て来るぞよ。今出る筆先は早いぞよ。

昔から無い事が世界には出来て来て、人民からは、出来上がりて了わんと実地の事は感得んから、筆先に書かすのは、天と地との言葉の代わりに、先にある事を前日前月に書くのが、変生男子の御役であるぞよ。

変生女子の御役も御苦労であるから、何方の御用も、外の身魂では出来ん大望な事であるぞよ。

変生女子には、斯の世の是までの乱れた方の事がさして在りて、澄子には、世に出て居れた天之宇受売命殿と摺り替えて在りたから、夫婦共に、是迄の世の行り方がさして在りたから、〇〇〇〇〇〇何彼の事が九分九厘と成りて来て、大神様の直接の御守護と成りてきたから、大本の内部の行り方を更えて、男子は男子の行動、女子は女子の行状を為て貰わんと、此の先は是迄の如うには為せんから、気は張弓、抜刀の中に居るように思うて心得て居らんと、肝腎の御用は出来んぞよ。善の御道一筋で行りて行かねば、世が立ちて行かんぞよ。

斯の世はエライ事に成りて居るから、何事も筆先に書いて知らせるから、一度申した事を素直に聞いて、其の行いを致さな成らんから、一度で何事も聞く身魂で無いと、此の大本へ、この先は段々と、遠国からも近国からも人が出て来て、此の中の行為に皆眼を着けるから、今迄の行状では、出て来る人が承知を致さんから、是だけ厳敷く筆先で気が付けて在るのじゃぞよ。

神の威勢を出して貰うのは、此の大本から、此の中の行動を見て御蔭を感得て、人に御蔭を取らすように致さな成らんから、○○○○○神は何んな教えも致し、何んな行いも致すなれど、人民は来た折は恐い如うに思うなれど、腹の中から抜けんように持って居らんと、是迄のようには行かんから、この先は立て分けが始まるから、大本の中も外も、天地の違いに一日増しに変わるから、代わりかけたら速いから、是迄の如うに思うて居りた守護神が、逆立ちに成りて苦しむものが沢山あるから、其れを見るのが此の方も地王もイヤで在るから、是ほどクドウ気を付けたなれど、世に出て居れる守護神が、苦労知らずの行も致さんと楽な行り方で、斯んな良い政治があるものかと申して、前後の見えん、前途は何うなる斯うなると云う事の、末代見え透く火水神の申す事は用いずに、仕放題の我良しの守護神人民は、我に苦労が為てないから、人の苦しむのが面白いと云う如うな、悪魔に化り切りて居るなれど、此の後は逆立ちに成りて苦しまねば成らん事が出て来るが、夫れを見るのが厭であるから、日々今に続いて気を付けたが、実地をして見せる世が参りて来て、モウ何程御詫びを致しても叶わんように迫りて来て、実地を致して、選り分けて処置を付けな、何時まで言い聞かしても聞く守護神無いぞよ。

新つの洗い替えの世を拵える方が仕宜いぞよ。向後は結構なれど、此の変わり目がイヤな事であるぞよ。今度は天地の先祖の申すように致して、日本の霊主国に残して貰うた身魂は、末代結構であるぞよ。

鬼の性来、悪魔の霊魂に成りて居る海外の国の眷属の狸の性来が、悪シブトウて、天地の御恩の有難い事も知らず、恐い事も無し、斯の性来が日本の国では一寸混じりても、此の後は焼き払いに致して、日本の大和魂斗りに揃えんと、一寸でも残りて居りたら選り抜きて、焼き亡ぼして了うて、天と地との先祖が揃うて、末代の世を続かせな成らん世が参りて来たから、是迄の善悪混交の世では、一寸も前へ行く事もならず、後へ還る事は猶出来ず、往きも還りも成らんのが今の事であるが、是迄の世は、如何して居りても安楽な行り方で、恐い事のない世でありたから、斯ういう難渋な事が廻りて来るのも、皆時節であるぞよ。

此の時節の来るのも、元は大神様の付々の守護神の精神が、悪でありたからであるぞよ。

善一つの御先祖様の一の番頭二の番頭が、表面から見ては善に見えて、心腹の中が極悪でありたからであるぞよ。何も彼も腹の中まで見え透く、天地の先祖の肉体の今に其の儘で居れる活神が、昔から根本の経綸が為てありての、今度の二度目の世の立替えであるぞよ。

ドチラの仕組も、中々一通りの身魂では判る事ではない、大望な経綸であるぞよ。悪の方もエライ経綸を致して居るぞよ。善の方も見当は取れん経綸が為てあるぞよ。善の経綸も悪の経綸も、世の元から致してあるのであるぞよ。夫れで斯の世には昔から、双方の国にも口舌が絶えなんだので在りたぞよ。

善は苦労が永いぞよ。解るにも暇が要りたので在るぞよ。悪は苦労なしに為放題で、思うようにトントン拍子に昇れたなれど、悪の生命は短いぞよ。九分九厘で悪の世は平らげてしまうぞよ。

明治三十三年閏八月一日

艮の金神国武彦命の筆先、出口の手で書きおくぞよ。

今度実地の神が連れ参るのは、陸の竜宮であるぞよ。人民では行けぬ処で在るなれど、四人の身魂は因縁の処へ往って貰わんと、解らん事があるぞよ。是から変なとこへ連れ参るぞよ。出口に明治二十五年から、皆形が見せてあるぞよ。皆出て来るぞよ。疑いは未だあるなれど、見ておじゃれよ、何も出て来て、逆様になりて、御詫びに来んならん人が出来るぞよ。

モ少と向にと思うたなれど、化ケ物が現われて守護して遣らんと、物が遅くなりて、助かるものも助からん如うに成るから、チット成りと助けて遣らんと、永らく苦労いたして、国を助けて居りたのが水の泡に成るから、何れは人民が減るなれど、日本の国は助けねば成らんから、永らく苦労を致すのじゃぞよ。

世界の人民を無く致して世を替えるなら、モチト速うに世の立替えいたして居れど、夫れでは神の役も済まず、人民無くては神の思わくも立たず、チット延ばし延ばして世の立替えが遅く成りて居るから、早く立替えいたして速く埒を付けねば成らんなり、世界中の事であるから、何に付けても大望なり、皆が判らんから自己の目的を付ける者ばかりなり、今出る五十冊の筆先は、是から誰が参りても、今迄の如うに、直接の筆先を自由に写さすでないぞよ。

余り皆の者が神を軽しめて居るから、御蔭は無いのじゃぞよ。言うてやり度いなれど、言えば出口の肉体で申すように思うて、御蔭を落とすし、言わねばチットも解らんし、神も骨が折れるぞよ。

上田の改心が出来るに就いては、純の改心出来るなれど、上田が 艮 の金神が是で宜いと申すように成りたら、純の改心が出来るぞよ。此の 艮 の金神に気障りありたらば、純は手に合わんぞよ。是を心得て居りなされよ。此の神は気を引きた上にも気を引くぞよ。出口にはモウ口では言わさんぞよ。今度は余程の改心いたさんと、純いかんぞよ。さる代わりに、今度行く処は、今迄にも行く先にも、人民ではモウ無いぞよ。二度と行くものが無い所であるぞよ。そんな処へ、苦労もせずに行こうと思うと、余程改心いたして行かんと、結構な所の恐い所であるぞよ。

出口に明治二十五年から、我行く先は結構な所ばかりと申して在ろうがな。陸の竜宮は、生神の住居をしておいでます所であるから、一通りでは行かれんぞよ。

人の能うせん事の、人の能う行かん処へ参りて、行を致して来んと、万古末代名の残る事は出来んぞよ。まだ結構な所があるぞよ。

余り結構な筆先は、別に致して置かんと、誰にでもと云う事には行かんから、却って悪いぞよ。此の先は、誰にも写させんと出口に持たしておかんと、何にも知らんものが出て来て、邪魔を致すから、肝腎の筆先は誰にも見せんが宜いぞよ。今迄の筆先を、何ぞ弄び本の如うに思うて粗末に致して居るが、是からの筆先や雄島へ参りた折の筆先は、粗末に致したら直ぐ気付け致すぞよ。誰にも持って去なせるで無いぞよ。

是までの筆先は、熱心の信者に一冊ずつ渡しておいたなれど、今度の筆先は余所へは行れんぞよ。何程筆先を持ちて居りたとて、御蔭は我心じゃ。神の気に参らねば、誠の神徳は遣らんぞよ。御蔭が欲しくば、サッパリ腹の中の掃除を致さんと、皆が慾信心であるから、誠の利益が無いのじゃぞよ。

神の申すように致せば、神は便り無きように在れども、誠の便りに成るが、人民と申す者は、今一寸良さそうなと直ぐ寄りて来るなれど、引っ掛け戻した折に皆逃げて了うが、神は誠の心を見抜いたら、ドンナ利益も遣るなれど、遣る人民が無いので物が遅くなるのじゃぞよ。

昔から無い事ばかりで在るから、解らんのは無理はないが、此の五十冊の筆先を、熱心の立ち寄る人は見て下されよ。大本へ見に来るように、持って帰なせんようにして下されよ。

此の大本は、今では、世間からは誠に致さねど、万古末代続く大本に成るので在るから、モット確り致さんと、こんこう殿の如うな教会には致されんのじゃぞよ。教祖の致した事や筆先を直したり、拵えたりは出来んぞよ。

明治三十三年閏八月二日

昔から、世界の事が是だけ細かく解る所は無かりたが、時節参りて、霊学と云うて、帰神で見え透く如うに成りたのじゃぞよ。艮の金神が、世に落ちて居りて仕組みたことじゃぞよ。

世界に在る事は何で在ろうと、皆元は此のほうの経綸た事じゃが、斯んな仕組を相談してする如うな事では、世の立替えは成就いたさんぞよ。斯う申すと、エラソウに申す神じゃと思うで在ろうなれど、このほうは力が有り過ぎて縮尻た神で在るから、何んな事でも致すぞよ。

何程力のある神でも、そねまれたら辛い目を致さんならんから、〇〇〇、人民は利巧にあれど、神の真似は出来んから、色々と慢心の出ぬように気を付けるのじゃぞよ。

今迄は、神憑と云う事が廃りて居りたので、神が路頭に立ちたなれど、時節参りて、神の思う事が人民の口を籍りて申される世が参りて、誠に神は満足で在るが、それに就いての苦労いたすのは、神ばかり有りたとて、人民に改心さして上下も揃えて、元の神代へ立ち帰る守護いたしての、此の苦労を致したり、さしたり、神は先は斯うなる彼いう事になると承知はして居れど、人民は先の見えんものであるから、申してやりても誠に致さんから、結構な御蔭を取り外して、ジリジリ舞うても叶わん事が出来て来るから、明治二十五年から種々と申して気を付けたなれど、誰一人誠に致さなんだなれど、仕組の致して在る上田を引き寄して、チト解りかけたので在るから、上田が参りてから此の結構が判りたなり、出口が永らくの苦労の固まりであれど、今度の世の立替えの神の力の取次じゃぞよ。

出口直は、婦人に化かして在れど男子じゃ。上田は、男子で女子であるぞよ。この因縁が解るぞよ。何事も前に書かして在るぞよ。今度参るのも、気が付いては居ろまいがな。皆其のとおり、前に書いて見せて在ろうがな。筆先を出しても、誰も何にも腹へ這入りて居ろまいがな。

それで筆先を見んと、此の元は何も解らんと申して在れど、化かして居れば侮りて誠にいたさねど、眼の舞う人やら、フン延びる人も出来ると申して在ろうがな。皆出て来るぞよ。神はげしく成るぞよ。

出口安心いたされよ。何も先に見せて置くぞよ。出口に申して在る事は違わんぞよ。九人の写真を腹に持ちておじゃれよ。今迄は斯の世に無き苦労人で在りたなれど、世界にある事が解るほど、出口が良くなるぞよ。是から解りかけて来るぞよ。

悪は千里も走るなれど、善の判るのは中々に骨が折れるぞよ。是だけ結構な事を致して居りて、是だけに悪く言われて居るのも、是も因縁なり都合の事じゃ、是から判りて来るぞよ。昨年の十月に申して在ろうがな。十月になりたら、エライ悪く申したが、打って変わりて、結構な事で在りたと云う如うに成ると申してあろうがな。是から、敵対うて悪く申して居りたもの、段々と目が醒めるように、そろそろと見せて遣るぞよ。目醒ましも悪い事に限らんぞよ。良き眼醒ましもあるぞよ。

世界に在る事は、綾部の大本から為て見せるが、此の広間の中の事や神の祭りようから一切の事、解りて居るか、皆見せて在るぞよ。神の祭りようから、布教師の行為から、何も彼も見せて在れど、分かろまい。是を分ける人が出て来んと、誠の事が出て来んなれど、今度因縁の在る四人の身魂が御苦労に成りたら解るぞよ。結構が分かるから往て下されよ。金銀では行けん処じゃが、人民は金が無くては、一寸も前へ行けよまいがな。此の神は金無しに何処までも連れ行くぞよ。世界の加賀美に成るのは、人の能うせん事を致し、又昔から無き珍しき苦労を致さねば、世界の鏡には成れんぞよ。

綾部から何も為て見せるぞよ。世の立替えの世の元に成る処であるから、手間が要りたのじゃぞよ。モウ解るが速いぞよ。

明治三十三年閏八月一日

艮の金神が、出口の手を借りて、何事も前日前日に知らせ置くぞよ。是迄の世とは全部変わるぞよ。明治二十五年から法律も変わる、国会も人民の力で何時まで掛かりて居りても、誠の国会は開けんと申して、筆先に出して在ろうがな。皆出て来るぞよ。

一度に開く梅の花、人民の身魂の改め致して在れど、立替えいたさな成らんから、大望であるから、斯の世の元を拵えた神が正末で居りて、蔭から加護うて居りたから、斯の世が潰れずに在りたなれど、世の元の神が霊魂に成りて居りたら、今度の世の立替えは出来んのじゃぞよ。

綾部の元は、今では分からねど、神が表面に現われて守護いたす様になりたら、喧ましく成るぞよ。今申しても誰も誠に致さんから、筆先に書いておくから、先繰りに出して見て下されよ。

天〇〇〇にも中々心配が出来るぞよ。それに付いては一旦は下々も悪く成るぞよ。

金は引き上げに成るぞよ。

今迄の世は仏事の世でありたから、仏事の初まりはモチト力が在りたなれど、神力とは又違うぞよ。

方便で道を拡めても、永うは続かんぞよ。真実の固まりたので無いと、万古末代は続かんぞよ。今度の事を致すのにも、余り世が乱れて居りて、人民どこか、神までが仕放題に致すように成りて居るから、世の立替えに中々骨が折れるぞよ。斯の神は、此の時節、暗やみの中で拵えたので在るから、水晶の取次は今では何程も無けれども、世の立替えを致すに就いて黒住、天輪王、妙霊いろいろと先走りに、金光殿も皆此の方の経綸であるぞよ。見苦しき世の中であるから、無茶苦茶であるから、勝な人民から綱を懸けて、神界からの御仕組で、神は手分け致して、先走りに御苦労に成りたのであるから、世の立替えは御存知なれど、艮の金神の経綸て居る事は、神界にも御存知なき神勝ちじゃぞよ。夫れで六カ敷いのじゃぞよ。

是から表に現われて、全部神の取次から改め致すぞよ。今の人民に、水晶の人民は無けれども、身魂の洗濯を致した上で、チト優なものから、それだけの御用に使うぞよ。何事にも元が善くないと、何程洗濯いたしても、誠の水晶魂には成らねども、元の性質の良きものは、磨いたら良くなるから、今度の御用は身魂次第で、如何神徳も貰えるぞよ。早く神の御用いたして下され。

皆信心が間違うて居るぞよ。此の大望な事を致して居るのに、自己の目的を立てる用意ばかり、誠が無いので、苦労するものは苦労ばかり致さんならず、代わりにと云う事も出来んぞよ。

今度出て参る四人のものは、変な人ばかり、今では何も解ろまいがな。今は、此の広前はワヤで在ろうがな。是は神から態とにして見せて在るから、能く付け留めて置いて下され。世界は皆この通りであるぞよ。何でも筆先に書かしたら皆でてくるぞよ。

出口に実際を書かすから、夫れを上田海潮が写して、細こう説いて聞かせる御役なり、此の筆先で昔からの事が解るので在るから、是を一字も直したら、合わんように成るぞよ。大変気付けを致すぞよ。元の筆先は返して下されよ。元のは与らんぞよ。筆先で手柄を致そうと思うて、大変に隠して居るが、ソンナ精神では神は利益は与らんぞよ。筆先が結構じゃと申して持って居りたとて、筆先が一筋も分かりては居ろまいがな。

眼の着け所が違うて居るから、思わくも違うのじゃぞよ。心丈の事より神は為さんぞよ。人を欺すと又欺されるし、心次第の事をさすぞよ。皆我身の心を考えて見るが良いぞよ。誠の人には誠の事ができる。良い御利益はチット遅いなれど、出口に申して在るが、誠の人程御蔭は遅いなれど、結構な事に成るぞよ。遠国から参りて来たとても、神を松魚節に致して、我身の目的を立てに来ても十分の事は無いぞよ。

親が御蔭を貰うておりたとて、子が良く成るに限らんぞよ。親に悪心が在りたとて、一人の其の人の霊魂は皆違うから、神は能く調べて在るから、同じ兄弟姉妹でも一人一人違うぞよ。霊魂の因縁に由って、夫れ夫れの事をさすぞよ。今度は昔から無き事じゃぞよ。

今度の世の立替えを致したら、万古末代続かす経綸がして在るのじゃぞよ。底の分からん仕組をしておるぞよ。此の方の申す事を背いて致した事は、スコタンばかり。

明治三十三年閏八月四日

艮の金神国武彦命と現われて、出口の手で一寸形を書かすぞよ。

艮の金神の大本の様子、日々付け留めて置いて下されよ。

神の祭り方から皆の行動、みな為て見せて在るなれど、其れ解りてはおろまいがな。世界が此の通りに成りておるから、此の内部を能く見て置いて下されと申すのじゃ。
神界も此の通りに乱れて了うて、神の神力も無くなりて、大将が何れで在るか、
弟子が先生か、神憑が先生か、神がチット気を曳きて見れば、皆先生ばかりじゃ。
夫れで、世界も同じ事にモメルのじゃ。皆見せて在れども分かるまい。
斯うして筆先にだして、説いて聞かせな解らんから、此の肝腎の筆先は、女島男
島へ往って来ねば書かれんから。出口直、王仁三郎、澄子、福島、四方平蔵二人
の御供で、女島開きを致したぞよ。是から変な事が出来るぞよ。今度の御用大望
で在れども、結構な御用じゃぞよ。

モウ一(ひと)つの経綸(しぐみ)が、人間界(にんげんかい)に居(お)りては出来(でき)ん事(こと)で在(あ)るから、四人(よにん)の人(ひと)に御苦労(ごくろう)に成(な)らんと、モ一(ひと)つという事(こと)が肝腎(かんじん)であるから、昨年(さくねん)に出口(でぐち)を気(き)を引(ひ)きて見(み)たれば、モ一(ひと)つで物事出来(ものごとしゆったい)いたさんことなら、生命(いのち)までも差(さ)し上(あ)げると申(もう)して下(くだ)さりて、誠(まこと)に神(かみ)は満足(まんぞく)であるぞよ。生命(いのち)を取(と)りたら、今度(こんど)の御用(ごよう)は間(ま)に合(あ)わんから、二人(ふたり)の苦労(くろう)は別(べつ)の苦労(くろう)がさして在(あ)るのじゃ、是(これ)が元(もと)に成(な)るのじゃぞよ。今度正末(こんどしようまつ)の処(ところ)へ連(つ)れ参(まい)るから、皆行状(みなおこない)を改(か)えて下(くだ)されよ。改(か)えさすぞよ。

跡(あと)の留守番(るすばん)、今度(こんど)は是迄(これまで)とは変(か)わるぞよ。木下慶太郎(きのしたけいたろう)、今(いま)では粗末(そまつ)に在(あ)れど、是(これ)も因縁(いんねん)ある身魂(みたま)、児(こ)の行(おこな)いを為(し)て下(くだ)されよ。房次郎(ふさじろう)、改心(かいしん)の為(ため)に、留守二人(るすふたり)は要(い)

らねども留守番さすが、慶太郎は御給仕結界は一切構うて下されよ。房次郎書き物いたすと申して、エラソウに申すで無いぞよ。今度の留守番、結構であるぞよ。皆改心なされよ。世の立直し致すのじゃ。

四人の取次、世界に無き事を致すぞよ。昔から世を拡めた何の教祖にも、斯んな事はさして無いぞよ。

艮の金神、世の元で、世の終いで、今度が金輪際で世を立替えて、神世の元に成るのじゃぞよ。金輪王で世を治めて、万古末代続く天〇天〇、大〇士〇拵えて、元の昔に戻すのじゃぞよ。

筆先に出したら違いは無いなれど、人民と云うものは、善き事を申して知らせると、直ぐに来るように思うて、善き事斗りを待ちて居るから、チト暇が入ると、又筆先が嘘で在りたと申して、悪く申すなれど、神の申す事は違わんぞよ。けれども、斯んな大望な事を直に来ると思うて居ると、待ち遠うなるぞよ。未だ顔が蒼く成る事が、是から出て来るのじゃぞよ。顔が青く成る折に、神に縋りて身魂を研いて居りたら、選り分けて見せてやるぞよ。其の折に、地団太を踏んで俄か信神いたしたとても、神は聞き済ないぞよ。何んな悪き身魂でも、改心致せば助ける神じゃ。敵でも助ける神じゃぞよ。度々申して在ろうがな。

今迄は北を悪いと申したが、世の立替えを致して、斯の世は北が初まりで在るから、北が一番良くなるぞよ。皆判るぞよ。

日の暮を悪いと申したが、日の暮に致した事は、一番良くなるぞよ。日の暮と日が入れて在ろうがな。日の出の神が先に譬えて在るぞよ。日の出の神が東京から台湾へ戦いに立ちたのは、日の暮で在りたぞよ。今の経綸で無いぞよ。昔に仕組が致して在るのじゃ。綾部世の本、北から現われるぞよ。

斯んな事で敵対う人民は、慾なもので在るから、○○○良き事が出て来たら、又寄りて来な成らん事があるから、其の折には、小さい顔して来んならん事が出来ると、神は見るのが気の毒なり、可愛相なから気を付けてやりたなれど、未だ神宮坪の内、綾部の町近在が、今に悪き事でも致して居る如うに思うておるから、筆先を読んで聞かせるように書きおくぞよ。

綾部に、是だけの大望が出来るのに、人民というものは利巧な者であれど、先の見えん事にはムゴイものじゃぞよ。

世界の人民が改心いたして神心に成りたら、天下泰平に世が治まるぞよ。改心出来んと、早く事に致さんと神の鎮まる所が無いから、始めたらば速いぞよ。

明治三十三年閏八月二日

出口の因縁は、中々六カ敷いなれど、元からの因縁は昔からなり、斯現世の因縁も、元は八人の血筋で手分け致して、間配りて仕組が為て在るぞよ。

明治二十三年の七月の十九日に、八木の福島の久が大病で、暁立で直が参りて、八木の島の手前で出口に追い付いて、御前は珍しき婦人じゃと申したのは、人民では無かりたぞよ。お前は婦人に生りて来ては居れども、婦人では無い、男子じゃと申して在ろうがな。七人の女じゃと申して在ろうがな。其の因縁も判りて来るぞよ。

明治二十四年の極月から、大槻米の総領、八木の久、又二十五年正月から出口直も、此の三人は、皆神から為てあるから、世話して居るものが改心をして、聞き分けて下れたら、直ぐ鎮静るなれど、誰にも解らん事で在るから、よねは、大槻鹿造と米の改心が出来んゆえ、八年間懲戒を致されて、因縁ものの集り合いで、珍しき事が綾部に出来るのじゃぞよ。

世の立替えには、変な人が現われて、変な事が出来るぞよ。

こんこう殿も結構なれど、直ぐ布教者が慢心いたして気の毒なものじゃぞよ。何処の教会の教祖も皆同じ事じゃ。皆取次が悪き故、教祖の名が悪成りて、永らくの苦労が水の泡に成りて居るぞよ。其の苦労だけの、取次には徳が無いから、今度は何処の教会も、皆改め致して在るから、行状の良き教会は結構なり、行状悪き教会は、今度一番に審判いたすぞよ。

今度神が四人を連れ行きたら、分かりて居る人は結構なれど、解らん人は色々と申すで在ろうなれど、此の綾部の本は外の教会とは違うから、異う事を致させるなれど、今度御苦労に成りたら結構が判るから、人民は何と申しても、実地の所へ連れ参るから、安心致して下されよ、此の曇りた世の中を、水晶に致さねば成らんから、神が永らく苦労を致すのじゃぞよ。

今度の処は、人民では行かれん処であれど、其処へ一度は往って貰わんと、モ一つの事が出来致さんぞよ。そこへ参りて来たなれば、三年の行が出来るぞよ。八木の福島を差して行って下されよ。次に差図を致すぞよ。

綾部の大本の御世継に成るのは、一度は実地の所へ行って下さらんと、誠の御用がさせられんぞよ。そこへ参りて、現世の衣を脱がして、身体に徳を付けて置かんと、神の威勢が出んから、澄子と春一、連れ参るのはチト早いなれど、出口に一同みな結構な処へ連れ行かせるぞよ。

世界の大望が遅くなるので、人民の御用が遅く成りて、モウ緩り致しては居れん事になりたから、急き込むのじゃぞよ。物がアチラコチラに成りたから、人民を速く改心さして○○○○。

世界の事が、後の経綸で在りたのが前に成りたから、神が忙しく成りて、何も物事が迅くなるぞよ。

今迄は何を云うても誠に致さなんだが、皆出て来て、是からは改心が出来るぞよ。遠方を見いでも、近くを見て御覧うじ、敵対うた人民と、誠に致して神に縋りて来るものと分けて、気が付けて在るなれど、人民は何をして見せても、明白に云うてやらねば能う解けず、言うて与れば誠に致さず、放任して置けば、ぶっぽうへはまるし、親が児を思うと同じ事で、児が丼壷へはまるのを見ては居れず、言うて与れば悪く取りて、火に成りて怒るし、神も辛いぞよ。神の心も推量して下され。

人民助けたさの事で在れど、改心出来ん見苦しき身魂は、神が引き取らんと、きたなきものは棄さねば、世のけがれとなるから、可愛相でも何が在ろうやら判らんぞよ。

良き心を持ちたら、是からは良き神を憑けて、良き世話をさすぞよ。

明治三十三年閏八月五日

金神の世になれば物事は迅いぞよ。今度の御用いたして下さりたら、今迄に悪く申して居りたものが改心いたすぞよ。

皆、大本の経綸が解りて居らんから、信心の仕様が違うて居るぞよ。世に落ちて居る神を、世に出して下さるのは、綾部の元じゃ。

誠の人は苦労もあるが、判らんから無理は無いが、皆間違い信神で、遠方からも参るなれど、誠の利益を与るものが無いぞよ。此の神の因縁が判りて、誠の心で信神を致したなれば、今度は結構な事が出来るなれど、十人並の信神では、夫れ丈の御蔭じゃぞよ。神は正直、心だけの御蔭を与るぞよ。物が後前に成りたので、大変にエライ目を為すなれど、少々の仕組は変わるから、御苦労なれど〇〇〇〇百日とは申せども、都合に由りては、半分で良かろうも知れず、出た都合に致すから、今年行かねば来春に行かねば成らんぞよ。寒空向いてから行て下されと申しても、否と申さずに御用を聞いて下さる、神は満足であるぞよ。

是だけ神の申す事、一つも反かんと聞いて下さりて、四人の取次の心が揃うたなれば、是を際に、艮の金神の大本と立替えを致して、全部是迄の行いを変えさして、帰神者も皆改心致さすぞよ。今迄は、海潮も化かして御用を為したなれど、何時までも化かして御用さして居りては、神の威勢が出んから、チット御用が後前に成りたから、皆のものチト勉強なされよ。

一度に開く梅の花、金神の世になると、何も物事迅くなるぞよ。

引っ掛け戻しの仕組と毎度申して在るが、余り速く物が分かり過ぎると、一寸は後へ戻す事あるから疑うで無いぞよ。何も間違い無き事じゃ、御安心なされよ。誠の心判りて居りても、御用をさせる者には、何処までも心を曳いて見るぞよ。今度海潮帰りたら、キリキリ舞いを致す程忙しゅうなるぞよ。筆先を細こう説いて、夫れを集りて来る信者に聞かして、改心させねば成らんぞよ。出口と上田を出すのは、衣を脱がせに、実地の処へ行るのじゃぞよ。澄子と春一は、修行に見せに出すのじゃ。皆々の為に、誠の神が連れ参るのじゃ、是を見て改心を成されよ。

世界の鏡の出る元で在るから、皆鏡に出すのじゃぞよ。能く見ておかんと、眼の付け所が違うと、思わくが外れるから、能く気を付けておくぞよ。

男島女島からの筆先を、皆見て下されよ。判りかけるぞよ。此の事が判りて来たら、神も結構、人民も結構であるぞよ。誰一人、ツツボには致さん神じゃ、改心次第であるぞよ。

誠の神の申す事に敵対うて来たら、一旦は溪底へ落とすぞよ。誰でも分け隔てはいたさんぞよ。

明治三十三年閏八月五日

艮の金神は出口が開いて下さるなり、坤の金神は上田が御用致して、大の御先祖様を世に出すなり、皆夫れ夫れ手分け致して、今度の大望な御活動を我一と成さる事が、そろそろと解りかけるぞよ。

斯の経綸が人民に解りて来たら、皆が呆れて恐愕いたすぞよ。一所に居りても、斯の経綸は人民には分からんぞよ。夫れで四人に、御苦労に成らねばならんぞよ。此の方は、黙りてして居る事が在るから、モウ分けんと物事が遅くなるぞよ。何も彼も一度に忙ましくなる事も、出口に初発に見せてあるぞよ。元から末までの事が申し聞かして在るぞよ。

今度の実地の神の経綸て居る所は、変生男子と女子より行かれんぞよ。澄子と春一と二人は修行の為じゃ。因縁ありて連れ参るなれど、まだ今から実地は見せられんぞよ。

春一に守護いたして居る神、細かい事は知って居るが、是も要るぞよ。皆役が違うぞよ。

出口は三千世界の事、世界一切を知らす役なり、上田は霊学で世界の身魂を審判て、神の御用を因縁ある身魂に申し付けるなり、二人して経緯揃うたら判りかけるぞよ。

今までは神が離隔でありたから、真の経綸は申して無いから、物が間違うて来るのは、実地を知りた守護神が無いゆえであるぞよ。是から和合が出来たら、神様でも何した経綸が為て在りたと、改心なさるぞよ。

こんこう殿の取次が、こんこう殿より上なき事と思うて、出口を狸なぞと申して、エライ悪く申しておるが、今に狸が現われるぞよ。

こんこう殿の取次、おくむらを引き寄して気を引けば間に合わず、次に、あだちエラソウに申す斗り、なんぶを京都で開かせば彼の通りなり、京都の、すぎたも口でエラソウに、誠の御話は結構で在るが○○○○、こんこう殿は苦労なされて、地の恩を開いて下さりた故、モ一つ名を挙げさしたいなれど、余り取次が慢心いたして、艮の金神の御用は聞けんような不調法致して、間に合わんぞよ。

うえなか確り行らんと欲信神は可かんぞよ。

余り是までの神の取次、楽過ぎて、神と反対で、神は床下へ落として置いて、神の真似して青畳の上に居りて、栄燿栄花に絹小袖にまかれて、分教所や信者をエライ目に合わして、其れで誠と申すのか。神を松魚節に致して居るが、こんこう殿はそんな教えを成されたか、此の方は能く見届けて居るぞよ。

明治三十三年閏八月六日

出口に五十日の間続いて、良き事も悪き事も、気に障る事も書かしてあるから、御気に触る人は、出口を恨めて下さるなよ。

皆艮の金神が、出口の手を借りて書くので在るから、何事も皆出て来るぞよ。

海潮が帰りたら、筆先を細こう説いて、皆に聞かして下されよ。

斯の世を此の儘にして置いたら、モウ友喰いを致さな行けん様に成るぞよ。

此の醜しき世の中を、立替え致すに就いては、今度の四人の旅立の旅装も、チト因縁の在る事じゃ。能く見ておいて下されよ。四方藤太郎殿は、此の事を付け留めておいて下されよ。

是が金輪際の世の終いで、世の立替えの本の始まりじゃぞよ。能く見ておいて下されよ。何も形をして見せるぞよ。

鏡と云うのは、艮の金神の元に在りた事は、善きも悪しきも世界に皆在るから、夫れで出口は世界の鏡と申すのじゃぞよ。外の教会とは違うから、何彼に難しきのじゃぞよ。然る代わりに、此の事が判りて来たら、世界の外に無い事じゃ。今は化け物、此の化け物も時節が参りたら表われるぞよ。

○○○今迄は、世界を拵えた神は世に落ちて居りたなり、人民が神に化りて居りたから、斯の世が逆様に成りて、運否が甚うて、世界は暗がりでありたぞよ。神世に成れば、皆が揃うて宜く成るぞよ。是だけ世界に運否が無い筈じゃ。同じ神の分け霊なれど、世が逆様で在りたから、神が苦労致したぞよ。

艮の金神が天地の守護を致すように成りて、何事も此の方が免許を出したら、外の神様は、一つも点が打たれん事に成りて居るなれど、神界には未だ御存知の無き神様も在るぞよ。是も神が永らく苦労いたした、徳の凝固で在るぞよ。出口に永らく苦労をさしたなれど、モウ曙の烏に近よりたぞよ。モウ貫きたぞよ。

咽から血の出る如うな目に逢わしたなれど、今度モ一つ御用を聞いて下さりたならば、○○○まだ行く所は在るなれど。結構な所ばかりじゃぞよ。

天下泰平に世を治めて、あとは七福神の楽遊びと成りて、良き世に致すに、是だけの苦労を為したり致したり、然る代わりに、世界中を良く致すのじゃ。それに悪く申すのが、世が曇りて居るのじゃぞよ。

明治三十一年旧十一月三十日

艮の金神変性男子の霊魂が、スックリ現われる時節が参りて来て、世界には騒がしき事が始まるぞよ。世界の大洗濯がはじまると、上が一旦は破れるし、下も砕けて了うぞよ。

上から汚れて来て居るから、下の制統は出来は致さんぞよ。

斯う成る事は、前の世から能く判りて居る元からの活神で無いと、三千世界の世を持つのは、自己よしの行り方では斯の世は持てんぞよ。上の大将を致すものが、自分から好くして置いて、人を後廻しという如うな精神で在りたら、斯の世が治まると云う事は、何時になりても無いぞよ。

下方を、上に立ちて居るものが愛護て遣らねば、斯の世に苦舌は絶えは致さんぞよ。

是迄の世は強いものの勝ちと申すのは、我好かれの行り方で在りたから、世界が如此困難な事が出て来たので在るぞよ。

上の一番大将が悪いので無い、一の番頭の政事が悪き故であるぞよ。安逸な方は行り好いから、其の行り方は桜の花じゃ。是迄の世は花の世で、紫陽花の世で、実りの致さん世の持ち方であるから、国は永うは栄えん悪の世で在りたぞよ。余程の苦労を致さねば、実りはいたさんぞよ。

二度目の世の立替えを致したら、艮の金神が現われて、苦労いたして、永らく世に落ちて居りた神を世に上げるぞよ。

昔から待ち焦がれた松の世が参りて、変生男子の苦労の凝固の花が開く世に成りたから、今が天地が覆る堺となりて、上へ上がりて居る人民が、困しみが一旦は出来るから、気も無い内から知らしたが、時節が来たぞよ。

昔の世は、𧘕𧘔で何彼の事が儀式が立ちて、規まりが能く付いて居りたなれど、がいこくの教えが善いと申して、大将までも洋服を着て、沓を履く如うな時節に成りて了うて、上下は全然破れて間に合わん事に成りて居りたなれど、矢張り日本は、上下が揃わんと口舌が絶えんから、昨年から大元には、破れた𧘕𧘔を解いて、全部緯糸に織りて、世のツクネ直しの証を為て見せたぞよ。

其の機は、澄子が正末の機を織る、目を出す折の筆先で在るが、綾部の大元に在りた事は皆世界に在るぞよ。何も大元に為て見せるぞよ。

能く大元の中の所作柄を見て置かんと、肝腎の世の経綸が判りかけが致さんから、筆先を十分に見つめて居らんと、人民の一寸には解らん仕組であるから、差し添えの役員は、取り落としの無いようにして下されよ。万古末代遺る大元の中に在りた事は、仇な事は一つも無いぞよ。

是迄の世は、思うように行かんが浮世と申したなれど、二度目の世の立替えを致して、世の元の神が構うように成りたら、神に従えば、何事も箱差した如うに行く世に成るぞよ。

明治三十七年旧七月五日

艮の金神稚姫岐美命変生男子の身魂が、世界へ現われる時節が参りたから、斯の世には変わりた事が出来て来るから、是迄の如うに思うて居ると、慮見が違うから、皆揃うて改心を致して、身魂の研き合いを致さんと、是迄の格合には行かんぞよ。

何事も変わるから、明治二十五年から申して在る事の時節が、参りて来たので在るから、世の変わり目で、人民が三分に減るという時節が参るので在るが、人民の知りた事では無いから、斯ういう時節が参りたら、自分が改心を致そうより仕様は無いから、何事在りても、神と出口に不足を申して呉れなよ。

身魂の因縁性質で、何う云う事が此の先で在るやら、何処に何が在る知れんから、知れんで無いぞよ。世界中の身魂が、能く調査めてありての世の立替えぞよ。

信神して居りて、憂愁事が在ると、神の道の判らん人民は神を悪く申すなれど、身魂の因縁の判る時節が参りて来たので在るから、此の世界の霊魂の入れ替え、世の洗濯と云う如うな、大望な時節が参りて来て居るのに、今の人民は何も判らんゆえに、見苦しき心を持ちて、神の気界に叶わん事斗りを致したり、申したり、其の罪障を取りて遣るには、骨の折れた事であるぞよ。人民には、言うて遣りても能う解けず、綾部の大元から世の立替えの事が、日々出口直の手で知らして居りた事の実地が始まるぞよ。是から、改心の出来た身魂から良い方へ廻して遣るぞよ。

身魂を良く致す、世界の大本になる大望な処で在るから、○○霊魂から良く成らねば、肉体は容物で在るから、肉体の中に納まる性念が肝腎であるぞよ。肉体は変わるなれど、霊魂は末代死には致さんから、良き心を持ち直して、神の心に叶うように成りたら、末代の徳と成るぞよ。

夫婦と云うものは、霊魂と霊魂で見合わして、縁が結ばして、〇〇此の霊魂には此の霊魂を授ける、此の霊魂の宿りて居る肉体には、此の霊魂の世話をさすと云う事は、世を持ちて居る、世を構う神の差図で、霊魂を自由に致すのが、此の世の守護致すので在るぞよ。

因縁ある霊魂は世に落ちて居りたぞよ。

〇〇皆仕組みて在るなれど、是迄に世を持ちて居れて、世を持ち外して、斯の世に大将無し同様の世で在りたから、霊魂が混ぜ交ぜに成りて了うて居るのを立て別けて、良き霊魂と悪き霊魂とを区別して、日本は水晶の世に致して立直さねば、神国であると云う事が判らんから、何彼の事を、変生男子の手で書き残して置くぞよ。

明治二十五年に、出口に病癒しの取次で無いから、大望な、外の身魂では出来ん事で在ると申して在るぞよ。艮の金神が体内へ這入りて、二度目の世の立替えを致す肉体に拵えて在るなれど、余り粗末にして在るから、人民が今に疑うて居るなれど、今年には実地が来かけたから、此の大元から何を申さいでも、世界から筆先が判りて来るから、要らん事を思うて、取り越し苦労を為んようにして下されよ。

此の先で、立替えの中では何れは人が減るから、今度神の御役に立つ身魂は、因縁の在るもので在るから、何んな辛抱も致さな成らんし、させもするなれど、因縁なくては、変生男子の一つの種の差し添えには成れんぞよ。

差し添えの種は辛いと申しても、出口の初発の行の事を思うたら、安楽なものであるぞよ。

出口の此の世の苦労は、昔からの苦労の中では、一番に安楽に在りたのであるぞよ。霊魂で苦労がさして在りたから、○○○是からの霊魂は、今度改めして在るのは大元へ引きよして、筆先の因縁の判りた身魂を能く為て御用に使うから、霊魂に成りても、肉体で在りても結構であるぞよ。

此の先は出口の守と現われて、世を代えて、艮の金神が世をかまうと申すのは、霊魂を末代かまう世が参りたので在るから、肉体の在る中に、変生男子の書いた筆先を能く腹へ入れて置いたら、死にても、亦今度斯の世へ出して貰うても、人がたたき落としても落ちん、霊魂に徳が付くので在るから。

あとがき

第二巻には、「神霊界」誌（底本）の大正六年（一九一七）八月号から十月号までに発表された神諭三十筆を収めた。

神諭の発表年をつぎのように校訂した。

一、明治三十三年閏八月五日（本文二三九ページ）と明治三十三年閏八月六日（本文二四三ページ）の発表年について、底本には「明治三十四年」とあり、火之巻は「閏八月」を「旧八月」に訂正し底本どおりとしているが、つぎの理由から、それぞれ「明治三十三年」と訂正した。

(イ) 明治三十三年閏八月八日の開祖一行四人による鞍馬出修を予告した神諭である。

(ロ) 閏月は明治三十三年であって、明治三十四年ではない。

(八) 明治三十三年閏八月一日・二日・一日・四日・二日・五日・五日・六日（本文二〇二ページから二四七ページまで）の神諭は、鞍馬出修にかかわる一連の内容である。

ふりがなを、つぎのように校定した。

一、「国悪」（本文一五九・一六三・一八四・一八五ページ）について、底本・火之巻に「こくあく」、天之巻に「くにあく」とあるが、釈書（大正初期に出口聖師が筆先に漢字をあてて編纂され、写本の一部が現存している）の同一神諭に「ごくあく」とあるので、総合的に判断のうえ、それをふさわしいものとして採用した。

二、筆先では、促音の「っ」や語尾の「う」「ん」を省略した用語、「だ」とすべきところを「ざ」と表現した用語、半濁音とすべきところを濁音とした用語がきわめて多く、神諭を「神霊界」に発表するにあたり、わかりやすくするため促音と語尾を補い、「ざ」を「だ」に、濁音を半濁音に修正されている。（例　けこ↓けっこう、いと↓

いっとう、まつざい→まつだい、やまとざましい→やまとだましい、さばり→さっぱり、りば→りっぱ）

今度の刊行にさいしても、つぎの語のふりがなについては、わかりやすいふりがなを採用した。

(イ)　「末法」「魔法」について、筆先では「まぼ」が多く用いられ、底本・天之巻・火之巻では「まぼ」「まほ」「まつほ」「まつほう」「まっぽう」などのふりがながつかわれているが、「まっぽう」を採用した。

(ロ)　「根本」について、筆先には「こぼん」が用いられ、底本・天之巻・火之巻では「こんぽん」「こっぽん」のふりがながつかわれているが、「こんぽん」を採用した。

(ハ)　「天照皇大神宮」について、筆先には「てしよこざいじんぐ」とあり、底本・火之巻では「てんしょうこうだいじんぐう」、「ていしょうこうだいじんぐう」とあるが、「てんしょうこうだいじんぐう」を採用した。

カタカナについて、擬音語、擬声語、擬態語、俗語、隠語、促音、感動を表わす語として特に強調するためなどにつかわれている場合にはそのままとし、それ以外の助詞や連続した語の一部に用いられているカタカナは、ひらがなになおした。

昭和五十八年四月三日

大本神諭編纂委員会

おほもとしんゆ（大本神諭）第二巻

昭和五十八年 四 月 三 日 初 版発行
平成二十八年 九 月 八 日 第十刷発行

編　者　大本教典刊行委員会

京都府亀岡市古世町北古世八二―三
印刷兼発行所　株式会社　天　声　社
電　話　〇七七一―二四―七五二三
振替 京都　〇一〇一〇―九―二五七五七

ISBN978-4-88756-002-4
定価はケースに表示しています